FEARNE COTTON

LUGN

ISBN 978-91-8884-547-4

© FEARNE COTTON, 2019

ORIGINALTITEL: »CALM: WORKING THROUGH LIFE'S
DAILY STRESSES TO FIND A PEACEFUL CENTRE«

ORIGINALFÖRLAG: ORION, LONDON, 2017

ÖVERSÄTTNING: © MANNE SVENSSON, 2019

SVARTVITA ILLUSTRATIONER: FEARNE COTTON

KAPITEL- & FÄRGILLUSTRATIONER: JESSICA MAY UNDERWOOD

VATTENFÄRGSVÅGOR & AKTIVITETSILLUSTRATIONER: HART STUDIO

OMSLAGSDESIGN: RASMUS PETTERSSON

FORMGIVNING: HART STUDIO

SÄTTNING: PAOLO SANGREGORIO

TRYCK: PRINT BEST, EU, 2019

WWW.MIMAFORLAG.SE

FEARNE COTTON

Lugn

KLARA VARDAGSSTRESSEN

OCH FINN DIN INRE BALANS

Översättning: Manne Svensson

STOCKHOLM

TILL MIN MAN JESSE,

DEN LUGNASTE PERSON JAG KÄNNER

Dina reflektionsringar

STRESSAD
UPPE I VARV
ÄNGSLIG
NERVÖS
NEUTRAL
OBSERVANT
AVSLAPPNAD

G N

Det här är dina reflektionsringar. Varje gång under läsningen som du ser den här symbolen:

gå då tillbaka till den här sidan och sätt en prick i ringen som motsvarar hur du känner dig. Sedan kan du se tillbaka och få en bild av hur du har känt dig under en längre period.

VAD ÄR LUGN?

Lugn är ett fridfullt tillstånd.

Lugn är känslan av verklighetsförankring.

Lugn är ett tillstånd som vi alltid kan komma tillbaka till om vi bara minns att det finns där.

Lugn är klarsynthet och att vara trygg i sina beslut.

Lugn är att minnas att det finns massor av bra saker i världen och inte bara dåliga.

Lugn är djupa andetag och känslan av att ha stöd.

Lugn är att känna sig trygg och att ha någon att luta sig mot.

Lugn är att acceptera alltsammans.

Lugn är att vara närvarande i stunden även när allt känns hektiskt.

Lugn är inte att vara tråkig.

Lugn är inte att göra ingenting och bara sitta still.

Lugn är inte att utestänga livet.

Lugn är inte att gömma sig för världen.

Lugn är inte att ignorera kaoset där ute.

Lugn är inte att säga nej på grund av rädsla.

Lugn är inte alltid att gå den enklaste vägen.

Lugn är inte att tvinga sig själv att meditera eller vara stilla.

Lugn blockerar inte alltid vägen för spännande saker.

Lugn är inte att bara fördriva tiden.

Lugn är inte överskattat.

Lugn finns inom oss alla.

Är det möjligt att känna sig lugn i vår tidsålder, när vi har låtit vårt fokus försvinna så långt bort från den grundläggande »mänskliga« erfarenheten?

Hur ska vi kunna känna oss lugna när kaoset verkar sippra in i varje liten spricka i våra personliga gränser?

Har vi tid att andas när vi konfronteras av jobbinlämningar, barnens fritidsaktiviteter, pressen på våra sociala liv och omgivningens förväntningar som vi känner att vi måste försöka infria?

Jag blir andfådd bara av att tänka på det.

Så ser det moderna livet ut. På något plan har vi alla sugits in i den här turbulenta virvelströmmen och spolats ut på andra sidan med trötta ögon, tilltufsade kläder och många obesvarade frågor. Det må kännas som om vi måste gå emot strömmen i vår kaotiska, hastigt skiftande, moderna värld för att finna lugn, men det är helt klart möjligt. Till att börja med bör vi inse att vi inte behöver hänga med i det snabba tempot, vi behöver inte understödja den vardagliga stressen och vi behöver inte leva upp till andras förväntningar. Att finna lugn är ett personligt projekt som måste funka för DIG!

Medan jag skrev min förra bok, *Glad*, funderade jag väldigt mycket på det här med lugn. Jag funderade på kopplingen mellan lugn och lycka och hur dessa båda saker kan främja varandra. Jag insåg att lugn är en sådan viktig del i den övergripande ekvationen om vi vill leva ett lyckligt och fridfullt liv. Det är kärnan i allt, för om vi är lugna har vi klarsyntheten, vi kan reagera på situationer med fötterna stadigt på jorden och kan öppna våra hjärtan på ännu vidare gavel fulla av förtröstan.

Mänskligheten har tvingats genomgå så många förändringar det senaste århundradet. I dag är vi ständigt i blickpunkten och tar voyeuristiska ögonblicksbilder av varandras liv. Vi jäktar, pressar oss själva, tävlar och tappar bort oss själva på vägen. Tekniken, sättet vi ser på framgång och det vi tror att vi vill ha ut av livet slungar oss in i en orkan av ett stundtals destabiliserande kaos.

Med lugn kommer tillfredsställelse, eller lycka – eller kanske lite av bägge. Eller vänta nu… är det lycka som ger det där lugnet? Och kan något av de båda bräckliga stadierna existera utan det andra? Jag är ganska övertygad om att man kan känna sig fullkomligt lycklig men samtidigt superstressad och uppe i varv, precis som jag själv har känt många gånger i mitt liv – på de där högsta punkterna i bergochdalbanan där man är så överlycklig att man vill skrika. Lugnet är kanske inte alls närvarande i de ögonblicken! Lika säker är jag på att man kan känna sig väldigt lugn men kanske lite avtrubbad eller apatisk då och då, till exempel när livet känns långsamt och händelselöst och verkar ha kört fast. Jag har varit med om många lugna stunder som inte nödvändigtvis förknippas med lycka.

Men jag är också säker på att de tillsammans kan utgöra någonting riktigt underbart, och det spelar ingen roll om det är lyckan som ger lugnet eller tvärtom, för de är ett dubbelt mål att ha i åtanke och kommer ofta i par.

Jag har inte skrivit den här boken för att jag har meditationskunskaper som en tibetansk munk eller går runt och gör peacetecken och ler harmoniskt mot främlingar. Jag har skrivit den för att jag förstår den extrema kraft och det värde som lugn kan ge, och för att jag dagligen anstränger mig för att välja lugn framför stress. Jag har skrivit den för att jag ibland känner mig galaxer bort från lugnets tröstande famn och undrar om jag någonsin kommer att hitta tillbaka till den igen. Jag har skrivit den för att det är ett tillstånd som jag är väldigt angelägen att lära mig mera om. Jag hoppas att jag genom att vara ärlig mot och om mig själv i den här boken kan ösa lite djupare i lugnets rika källor till förmån för mig själv och förhoppningsvis dig med. Den här boken är mitt sätt att begrunda vissa frågor som vi innerst inne kanske redan vet svaret på allihop – vi behöver bara lite uppmuntran för att minnas vår egen styrka i den moderna världens galenskap.

Genom hela den här boken dyker det upp interaktiva moment där du själv får säga din mening i frågan. Det är en chans att se efter var du står i ditt liv – att skriva listor, lufta och analysera dina känslor och ta reda på mer om dig själv och din egen version av lugn. Du kommer också att få ta del av några samtal jag har haft med experter och en del kloka vänner i många ämnen som har med lugn att göra och som har hjälpt mig väldigt mycket under denna ännu pågående expedition, och jag hoppas att de ska kunna hjälpa dig med.

Så till att börja med: Uppfattar du dig som en lugn person? Personligen vet jag inte riktigt vilket läger jag hamnar i. Jag är en hybrid av mina föräldrar och en exakt 50/50-blandning av deras komplexa egenskaper. Min mamma är en envis eldfluga, böjd åt extrema känsloyttringar och snabb i svängarna, och det är från henne jag har fått energin och drivkraften som gör att jag får mycket gjort. Min mamma bekämpar sin uppfattning av yttre kaos i världen genom att skapa total ordning i sitt liv. Det behovet och den vanan har jag också ärvt. Jämfört med henne är pappa »timvisaren« på klockan, som tickar mycket långsammare än hennes »sekundvisare«. Från honom har jag fått förmågan att lyssna, observera och utvärdera – en förmåga som jag har lyckats plocka fram vid de mest överraskande tillfällen.

Så jag antar att jag varken är lugn eller kaos – jag är allt. Och jag antar att de flesta av oss är sådana, mer eller mindre. Jag har ägnat lika mycket tid åt meditation och yoga som åt att köra som en fartdåre och krossa saker mot väggen i barnsliga raseriutbrott. Jag tror att det finns utrymme för alla dessa känslor, men för mig är det väldigt viktigt att lugnet kan vara en bas att återkomma till. Ju mer jag förstår lugnets betydelse för våra tankar, vårt allmänna välbefinnande, våra relationer och syn på världen, desto mer tid ägnar jag åt att försöka hitta tillbaka till det.

Några av oss kanske redan vet vår väg tillbaka till lugnet – till att andas djupt när vi får panik, eller att känna totalt lugn i rusningstrafiken eller på en full tågstation. Jag har inte lyckats behärska detta i livets alla områden ännu, men det är något jag ständigt jobbar på, och på senare år har det blivit ett av mina viktigaste mål i livet. Med åren och efter alla dramer som uppstått titt som tätt har jag insett hur mycket energi och tid jag har förlorat på stress, grumliga tankegångar och trassliga formuleringar.

Så vad är lugn för dig? För mig handlar det inte så mycket om tankar utan mycket mer om känslor. Det är en stillhet som låter mina lungor vidgas som varmluftsballonger. Det är en acceptans för oljudet omkring mig och att ha förmågan att inte kategorisera varje distraktionsmoment som antingen negativt eller positivt. Det är att se jorden snurra och kaoset komma och gå och helt enkelt acceptera det. Det betyder inte att jag tycker orättvisor, onödig dramatik eller negativa ord känns bra. Det är bara det att sådana saker ger mig en chans att känna empati snarare än irritation, att ha förståelse snarare än att fjärma mig från människor och att lära mig väldigt mycket om mig själv och andra. Det är en magisk alkemi av alla dessa koncept som kan ge mig en sekund eller kanske en hel dag av »den där« känslan – att vara avslappnad men medveten, stilla men dynamisk, öppen men skyddad. Det är lugn för mig.

Det är inte alltid enkelt att vänja sig vid den känslan, för ibland spelar vår hjärna oss ett spratt. Så fort vi känner den där första ljuva känslan av lugn kan hjärnan viska: »Glöm inte att du inte har betalat av krediten, luta dig inte tillbaka.«

Lugnet är ständigt och allestädes närvarande. Det bara ligger och väntar på att vi ska minnas dess sanning och kraft. Om du vill gå in i ditt inre lugn lite oftare, eller om du kanske helt har tappat förmågan att hitta det, så hoppas jag att du ska kunna använda de här boksidorna som en karta för att ta dig tillbaka hem. Jag är med dig på den här galna resan, och jag försöker också klura ut alltsammans, så vi kan hjälpa varandra på vägen. Bara genom att ge dig själv tillåtelse att sätta dig ner, öppna den här boken och tyst sitta och läsa den är en jättebra början på att hitta tillbaka till det heliga landet, så du ska veta att du redan har kommit en god bit på vägen! Nu går vi ut och jagar lite lugn tillsammans.

Innan vi sätter i gång på allvar kan du göra en inventering av hur du mår – ringa in det ord som bäst besvarar frågorna nedan. Jag tycker att lite självdiagnos kan vara ett bra sätt att ta reda på vad jag behöver förändra eller vad jag behöver utveckla.

Hur är ditt stresspåslag?	hemskt	dåligt	okej	bra	toppen
Hur bra sov du i natt?	hemskt	dåligt	okej	bra	toppen
Hur bra är du på att gå utomhus?	hemsk	dålig	okej	bra	toppen
Hur mår du av mängden tid du tillbringar på sociala medier?	hemskt	dåligt	okej	bra	toppen
Hur bra är du på att ge dig själv »egentid«?	hemsk	dålig	okej	bra	toppen
Hur mår du just nu över dina relationer?	hemskt	dåligt	okej	bra	toppen
Hur känner du inför framtiden?	hemskt	dåligt	okej	bra	toppen
Hur känns ditt bröst just nu?	hemskt	dåligt	okej	bra	toppen
Hur känns din kropp?	hemsk	dålig	okej	bra	toppen
Hur känns din hjärna?	hemsk	dålig	okej	bra	toppen

LUGN KROPP

Vi börjar med det mest uppenbara – grejerna vi har mitt framför oss. Magin som vi ibland missar och de mirakulösa saker vi ibland förbiser. Våra kroppar.

Jag vill börja här för att dessa mirakulösa kroppar som vi bebor tycks vara den snabbaste vägen till att förankra oss själva och finna lugn, och de är mycket enklare att hantera än våra knepiga, upptagna hjärnor (som jag ska tala om senare). Det första vi kan göra för att uppnå lugn och lura våra vilda hjärnor att ge upp är att komma i samklang med våra fysiska jag.

GENVÄGEN TILL LUGNET

De fenomenala kroppar vi tar oss runt med varje dag förtjänar att beundras och tas om hand. De är så komplexa och lever och andas. Ben och leder verkar i harmoni för att sätta oss i rörelse, nerver och ådror underlättar vårt flöde och våra känslor, muskler och ligament stöttar upp vårt skelett, huden håller ihop oss, skyddar våra kroppar och hjälper oss att vidröra föremål eller människor. När vi ser närmare på saken och kommer ihåg att bland alla känslor, tankar och mitt i all fart finns ett pumpande hjärta, vidgande lungor och miljontals invecklade saker som sker inuti våra kroppar, då kan vi byta fokus och få perspektiv.

Ibland blir jag stressad, nyckfull och känner att jag inte har någon grund att stå på, och kan knappt föreställa mig hur jag skulle få mig själv att resa tillbaka in mot mitt inre lugn. Det kan kännas som om det ligger väldiga, ödsliga vidder bort, helt dolt i en dimma av omotiverade känslor som jag inte kan kontrollera. Att hantera min röriga hjärna vid sådana tillfällen är nästan slöseri med tid. Jag rör mig bara i cirklar och ger antagligen mig själv ännu större problem genom att tänka för mycket och överanalysera situationen. Mina första stapplande steg mot lugnet i de stunderna är rent fysiska. Det är en genväg som nästan verkar för enkel, men jag vet att den funkar – jag har gjort så miljontals gånger förut och skördat frukterna gång på gång.

Så sent som förra veckan kände jag mig väldigt nervös och hade blivit insyltad i en historia som retade upp mig på alla sätt och vis. Jag fattade inte vad det berodde på och kände mig fången av ord som »VARFÖR?« och »TÄNK OM«. Jag visste att det skulle sluta med katastrof om jag försökte bena ut alla dessa tankar och ord, så jag drog bara på mig kappa och tofsmössa och gav mig ut i den tidiga kvällsluften för en enkel promenad. För varje steg kändes tankarna klarare. För varje liten bit av trottoaren som jag erövrade kände jag mig lite mer tillfreds. För varje minut som gick kände jag hur min kropp gav med sig och visste att jag var på rätt väg mot lugnet. Jag gick inte mot någon särskild plats eller med något särskilt syfte, utan det var snarare mitt fokus på det fysiska och ett temposkifte som fick huvudet att lätta och kastade ljus på vad som egentligen pågick. Mina bekymmer kanske inte löstes helt och hållet under den där skymningspromenaden, men jag kände mig definitivt mycket lugnare efteråt och var bättre rustad att tackla det mentala virrvarr som försiggick där uppe.

Alla ni som läste min första bok, *Glad*, vet att yoga ligger mig varmt om hjärtat. Det tog ett tag för mig att ta till mig denna hobby, men nu när jag har kommit en bit på väg med övningarna förstår jag rörelserna och andningsrytmerna och vart de kan ta mig. Jag bryr mig inte ett jota om att ta på mig trendiga yogakläder eller att ha magmuskler av stål – för mig är det bara en snabb djupdykning ner i totalt lugn, stillhet och lycka. Oavsett om jag inte klarar alla ställningar under ett pass eller bara gör dem i tio minuter i mitt kök så är det högsta vinsten varje gång. Mitt fokus på kroppen och andningen saktar ner allting, och min kropp gillar verkligen det. Efter ett yogapass kan jag känna hur organen och musklerna spinner som en lycklig flock katter – katter som har blivit ompysslade och ordentligt matade och därmed är avslappnade och nöjda.

Bara att ligga ner på golvet i fem, tio minuter kan ha den effekten om man verkligen släpper taget. Testa det. Kanske mot slutet av dagen, på lunchen eller när det är tyst hemma. Ligg bara på golvet och blunda och lägg märke till hur snabbt hjärtrytmen saktar ner, hur musklerna slappnar av och nervsystemet balanseras. Hjärnan kan bara göra samma sak och ta efter den övriga kroppens nya behagliga tillstånd, så sakta ner kroppen eller ge den mild stadig rörelse, så kommer det att kännas som om allt annat rättar sig efter det så mycket snabbare.

LÅT KROPPEN STYRA

Jag lärde mig hur effektivt det kan vara att släppa taget under förlossningen av min dotter Honey. Under graviditeten hade jag gått en kort kurs i hypnobirthing, med fokus på andningen och att finna harmonin i den egna kroppen. Så under värkarna tog jag stora, långa andetag och pressade ut djupa utandningar som fick marken att skälva och kände hur kroppen lugnades. Det innebar att hjärnan inte kopplade in i panikläge, utan i stället samarbetade med kroppen eftersom den visste att jag var stark och skulle klara mig. Även om det var en intensiv upplevelse kände jag ingen rädsla. Det var den bästa fysiska upplevelse jag någonsin haft – det kändes mirakulöst och oerhört mäktigt.

När jag födde min son Rex hade jag inte haft en tanke på hypnobirthing, för han var mitt första barn och jag var alldeles för överväldigad av alla andra praktiska detaljer när man skulle få barn, som till exempel »Vilken bärsjal ska jag köpa?« och »Hur sätter man fast en bröstpump?«. Jag antog att det där med värkar och förlossning bara skulle… tja… hända! Varenda kvinna förbereder sig på förlossningen på sitt sätt, men eftersom jag inte hade de fysiska verktyg som jag senare skulle bli medveten om via hypnobirthing fick jag verkligen panik när tiden var inne. Rädslan var fysisk för mig, för jag hade ingenting att jämföra den med. Därför blev jag tvungen att genomlida en ångestfylld förlossning, för det var min hjärna som styrde och kroppen kunde bara uppleva det min hjärna serverade åt den.

Jag känner mig så oerhört tacksam för mina två barn och de är det viktigaste av allt för mig, men deras födslar gav mig lärdomen att jag kan låta min fysiska kropps tillstånd få styra när det behövs och att min »mycket snack och liten verkstad«-hjärna kan förpassas till bakgrunden i lägen då jag verkligen släpper taget fysiskt. Vilken uppenbarelse för mig!

Gerad Kite är en kär vän till mig som jag regelbundet talar med för att få små guldkorn av visdom och en språngbräda tillbaka till lugnet. Det är så behändigt att ha en kompis som är femte-elementet-akupunktör! Hans anknytning till lugnet är glasklar och hans perspektiv på livet är både öppet och stadigt förankrat.

Akupunktur är väldigt fysiskt och låter kroppen återställa balansen och få ett bra flöde. Gerad har sysslat med akupunktur i tjugo år och förstår på en avancerad nivå hur kroppens balans fungerar. Hans kunskaper om österländsk filosofi har alltid fascinerat mig oerhört och vi pratar ofta om kroppens rytm och hur den förhåller sig till årstiderna och tidens gång. Här förklarar Gezza (som jag brukar kalla honom) varför det är så viktigt att vi lyssnar på våra kroppar och respekterar hur de vill behandlas under dagen. Att få våra kroppar i balans är ett jättebra sätt att ta oss tillbaka till lugnet.

Den urgamla ›kinesiska klockan‹ grundas på insikter om hur energin som ger oss bränsle rör sig inom kroppen och hjärnan inom loppet av ett dygn. Det finns en viss mängd energi i varje person, som kommer från maten vi äter, luften vi andas och vätskan vi dricker. Denna energi (detta bränsle) cirkulerar i kroppen (ungefär som blodet strömmar genom varenda cell), flödar i ett enda kontinuerligt kretslopp och främjar alla våra organ och kroppsfunktioner. Alla delar av kroppen och hjärnan främjas av den här energin hela tiden, men varje organ eller funktion har en tvåtimmarsperiod då den prioriteras framför alla andra och får en större volym energi för att dess uppgift särskilt ska betonas. Till exempel har tjocktarmen (kolon) ett överskott av energi mellan fem och sju på morgonen, eftersom det är den optimala tidpunkten att göra sig av med fysiskt – och psykiskt – avfall från dagen innan. Denna naturliga och väsentliga avsöndring inte bara rensar kroppen och tankarna, utan när det ökade energiflödet övergår från tjocktarmen till magen får vi också impulsen att äta en rejäl frukost och börja dagen full av förnyad energi. Omvänt finns en bottennotering för varje organ i den motsatta änden av dygnscykeln, och i det här exemplet är det då som magen får vila. Det är naturen som säger åt oss att äta mindre och i stället ge oss själva näring genom bra sällskap och underhållning – höjdpunkten för ›cirkulation/sex‹-funktionen.

När man lyssnar på denna inre intelligens främjar den hälsan och hjälper oss att känna större lugn inombords – bara vi uppmärksammar och låter oss vägledas av den. Tyvärr har vi en tendens att planera våra aktiviteter dag och natt i våra ›huvuden‹ och fatta onaturliga beslut om när vi ska äta, vila och arbeta och går på så sätt emot det naturliga flödet. Resultatet blir minskad energi, en störning av de naturliga cyklerna med sömn, matsmältning och reproduktion och en allmän känsla av missnöje – av att vara ur funktion utan synbar anledning.

Den kinesiska klockan baseras på vår planets rörelse i förhållande till solen. Den grundas på premissen att vi har utvecklats som art som ett direkt resultat av denna dygnscykel. Om du ändrar dina dagliga och nattliga rutiner så att du fungerar i samklang med naturen i stället för att gå emot den kommer du att börja känna att du är i harmoni med dig själv och omvärlden. Och då kommer du att få uppleva en genomgripande känsla av lugn.

KINESISKA KLOCKAN

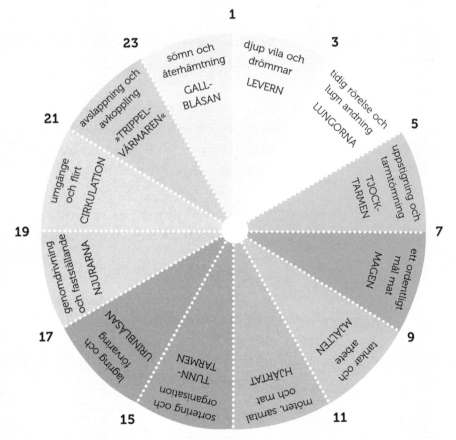

Låt oss ta en närmare titt på vad klockan innebär för varje kroppsdel:

Kl 3–5: dina lungor upplever ett energiuppsving som väcker alla celler i kroppen och friskar upp tankarna.

Kl 5–7: energiflödet sätter tjocktarmen i rörelse, vilket gör detta till en idealisk tid att stiga upp och tömma tarmen. Med detta rensar du inte bara ut de fysiska utan även de psykiska resterna från dagen innan.

Kl 7–9: Under dessa två timmar flyttas prioriteten till magen. Ha alltid uttrycket »naturen skyr vakuum« i åtanke: du har tömt nedre delen av matsmältningssystemet och nu behöver du fylla på så att du får tillräckligt med energi för att ta dig igenom dagen.

Kl 9–11: Här är mjälten i fokus och den förvandlar det du har tagit in och fördelar den energin så att kroppen och hjärnan får näring.

Kl 11–13: Under dessa två timmar drar ditt hjärta nytta av extra stort energiflöde, så ta tillfället i akt att slappna av och vara tillsammans med andra människor – för att umgås, visst, men det är också den idealiska tidpunkten för vänliga, konstruktiva jobbmöten.

Kl 13–15: När tunntarmen prioriteras börjar den med att sortera ut och filtrera, så gör något motsvarande under din dag: utnyttja tiden till att fokusera och organisera.

Kl 15–17: Nu tar blåsan över. De flesta av oss ser den bara som en påse att förvara urin i, men enligt den kinesiska läkekonsten styr den energireserverna, som en reservoar. Se till att dricka tillräckligt med vatten under dagen, så att du har nog med energi att hålla i gång när du kommer till tiden på eftermiddagen som brukar förknippas med en svacka.

Kl 17–19: Vid den här tidpunkten flödar energin genom njurarna och rensar tankarna och kroppen: ett ypperligt tillfälle att känna lugn och skapa stadga inifrån.

Kl 19–21: Detta är perioden för din »hjärtskyddare«, då blodcirkulation och sex underlättas – den optimala tidpunkten att umgås, slappna av och ha sex. Undvik stora kvällsmåltider och roa dig – det här är magens vilostund.

Kl 21–23: Energin flödar nu genom »trippelvärmaren«, som justerar alla delar av kroppen och hjärnan till korrekt fysisk och emotionell temperatur för att trappa ner efter en lång dag, så att du är »chill« och i det bästa tillståndet för sömn.

Kl 23–1: När slutet på dagen närmar sig kommer gallblåsan i förgrunden. Det är ett organ med lysande »omdöme« som styr återhämtningen för kroppen och hjärnan. Det perfekta tillfället att få vila och sömn.

Kl 1–3: Vid den här tiden skiftar energin till levern, rensar våra kroppar och sinnen och hjälper oss att sova djupt och förbereda oss för nästa dag.

Det jag älskar med middag-till-midnatt-lagen är den naturliga intelligens som bidrar till att hålla oss lugna oavsett hur upptagna våra kroppar och hjärnor är. Om vi är i samklang med dessa naturlagar kan allting annat falla på plats av bara farten – vi känner lugn, och livet känns förvisso jäktigt men upplevs inte längre som en kamp.

FINN HARMONI I DIN KROPP

Har du inventerat ditt fysiska jag någon gång? Alltså bara suttit och sökt av hela dig själv och tagit reda på vad som känns bra och vad som inte gör det. Medan jag sitter hemma vid mitt köksbord just nu kan jag väldigt tydligt känna de bitar av mig som är tillfreds och avslappnade och de som är fyllda av spänningar och stress. Mina axlar är spända och trötta av att ha burit på barn och suttit lutad över en laptop. Min mage känns full och nöjd av middagen jag just har ätit. Det svider lite i ögonen av sömnbrist och huden känns lite spänd, vilket får mig att tänka att jag antagligen är lite uttorkad. Att göra en sådan kroppsskanning när du får en kort stunds lugn är en bra idé. Fråga dig själv hur din kropp verkligen mår. Var lagrar du dina spänningar och bekymmer? Påverkar de magen och matsmältningen? Ryggen och axlarna? Huden? Var och en har sina egna särskilda svagheter som ger sig till känna så fort vi blir tröttkörda eller pressar oss själva för hårt.

Ibland får jag huvudvärk när jag försöker prestera för mycket och ryggen krånglar för det mesta – inte bara för att jag bär runt på små barn, utan för att det är där mina spänningar samlas. Oro och rädsla klamrar sig fast vid nyckelbenet och nackmusklerna och slår rot där, och ju mer hjärnan surrar, desto hårdare stramas spänningarna åt.

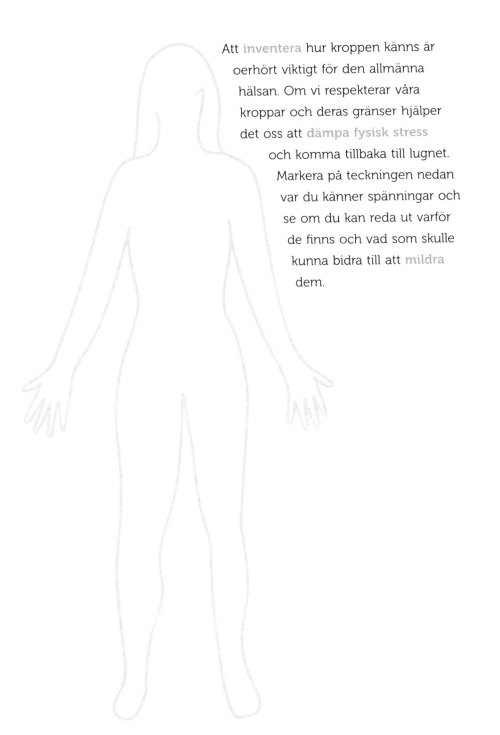

Att inventera hur kroppen känns är oerhört viktigt för den allmänna hälsan. Om vi respekterar våra kroppar och deras gränser hjälper det oss att dämpa fysisk stress och komma tillbaka till lugnet. Markera på teckningen nedan var du känner spänningar och se om du kan reda ut varför de finns och vad som skulle kunna bidra till att mildra dem.

VARNINGSTECKEN

Det här är varningstecken – STORA varningstecken – som vi bör vara medvetna om. Det är därför kroppen är så himla smart – den försöker göra det så enkelt som möjligt för oss att förstå när vi behöver ändra på tanke- eller livsmönster för att de ska vara hälsosamma för oss.

Självklart ignorerar vi de här tecknen eller ibland kanske inte ens lägger märke till dem när livet svischar förbi i ljusets hastighet. Det kan vara så enkla saker som att få utslag i ansiktet, eller återkommande magont, men vilken fysisk åkomma det än rör sig om är den ett tecken på att kroppen inte mår bra och vill att du lägger märke till det. Att vi tar oss tid att kolla hur det står till med våra kroppar är väsentligt för vårt allmänna välbefinnande. Alla behöver vi komma ut ur våra huvuden och in i våra kroppar lite oftare.

När *Glad* hade kommit ut var det någonting ganska märkligt som hände med mig. I boken hade jag skrivit ett kort avsnitt om ångest och sagt att det inte hade varit något som ställt till med mycket bekymmer i mitt liv. Jag hade alltid känt att depression var min särskilda svaghet, men så en dag var jag ute på en relativt lång bilfärd tillsammans med min mycket goda vän Clare. Vi pladdrade loss i våra favoritämnen – skvaller om kungafamiljen och TV-serien *Girls* – och plötsligt kände jag mig varm. Jag öppnade fönstren och krånglade mig ut ur jackan utan att säga något till Clare. (Hon var med om en ganska allvarlig bilolycka för många år sedan, vilket får mig att vara extra försiktig när jag kör bil med henne.) Efter det började mina lungor pumpa som en säckpipa. Okontrollerbara, korta andetag kom ur min flämtande mun och jorden började snurra omkring mig. Det är inte precis det idealiska tillståndet när man kör i 110 kilometer i timmen på en kraftigt trafikerad motorväg, så jag såg till att svänga ut i vägkanten, stanna bilen och förklara för Clare varför vårt samtal om prins Harry hade fått ett så abrupt slut och varför vi nu satt i vägrenen en halvtimmes resa hemifrån. Jag var extremt förvirrad och kände att jag hade tappat kontrollen totalt. Vad var det som hände? Jag har alltid förutsatt att mitt sinnestillstånd var en direkt konsekvens av mina tankar. Om jag tänker på någonting negativt spänner sig kroppen. Om jag känner mig stressad blir kroppen ryckig. Om jag känner mig ledsen mjuknar kroppen. Men det här var precis tvärtom. Vårt samtal i bilen hade varit glatt och sorglöst och jag var på väg hem för att träffa mina underbara barn. Ingen stress, inget mentalt drama, ändå var det något som slog väldigt fel i min kropp. Jag hade gripits av panikångest.

Några sådana fysiska yttringar hade jag aldrig varit med om förut, så jag hade ingenting att jämföra med. Det enda jag kan säga är att det kändes som om själva själen hade hoppat ur den fysiska kroppen – den hade flugit ut ur huden och svävade spökligt ovanför mig och skapade en avskildhet och intensitet. Hjärtat slog för båda de »jag« som nu satt i bilen och min blick försökte desperat finna fokus för oss bägge två. Det var enormt annorlunda än jag hade föreställt mig. Jag hade känt viss panik och lätt andnöd tidigare, men det här var starkt och fysiskt förlamande.

Pinsamt men turligt fick jag skjuts hem av Anonyma Alkoholister den dagen (tack, underbare AA-man, som dessutom släppte av mig vid en pub för att kissa, eftersom det tog så lång tid för mig att komma hem!) och när jag var hemma sjönk jag in i ett besynnerligt förvirrat tillstånd. Efter flera timmars grubbel och försök att förstå varför min kropp hade bestämt sig för att skrika så högt att den inte mådde bra trillade polletten ner. Jag vet att många där ute drabbas av betydligt mer långvariga panikanfall och att anledningarna och de utlösande orsakerna varierar kraftigt (se diskussionen med dr Annette på nästa uppslag), men i mitt fall handlade det helt enkelt om utmattning. Min hjärna har för vana att be mig gå längre, pressa på ytterligare, försöka mer, så jag gör det – men nu märkte

27

jag att jag hade gått för långt och kroppen skrek efter uppmärksamhet. Jag har ingen naturlig fallenhet för avkoppling, så jag gör alldeles för mycket större delen av tiden. Jag älskar att vara mamma och fru, jag älskar mitt jobb och jag vill lära mig så mycket jag kan, men det lämnar ingen tid alls över till att ta hand om mig själv (mer om det i nästa kapitel). Den där incidenten på motorvägen satte några nya regler tydligt på pränt för mig: SLUTA JÄKTA RUNT SOM EN DÅRE!

Jag uppfattade det som en engångsföreteelse, men tyvärr hände samma sak igen bara en vecka senare. Den gången utlöstes det av rädslan för vad som SKULLE kunna hända. Men tack och lov upptäckte jag, efter ett par månaders panikattacker från och till, att rädslan började upplösas. Nu kan jag köra bil utan att bli rädd, precis som jag hade gjort i så många år före den där händelsen, och jag har försonat mig med det hela. En lätt baksmälla av fruktan har bitit sig fast, men jag har också pragmatiskt resonerat med sådana orosmoment och spätt ut dem så att de håller sig i det förflutna där de hör hemma. Framför allt har jag blivit mycket mer medveten om hur jag pressar mig själv fysiskt.

Jag vet att min hjärna ofta är den rörigaste delen av mig, så att ta genvägen till fysiska verktyg är mitt passerkort till lugnet. Att andas djupt, låta kroppen slappna av och lugna ner nervsystemet kan styra mig i rätt riktning mot lugnet. Det är oerhört viktigt att vi får ett mentalt utrymme utan tankar, och det är ofta lättare att uppnå med hjälp av lite fysisk aktivitet.

En läxa som jag VERKLIGEN har lärt mig är att jag måste lyssna på kroppen. Om den inte verkar må bra, om den ger ifrån sig tydliga signaler, då ska du LYSSNA! Du kanske behöver göra en del små justeringar för att kunna förhålla dig till livet på ett lugnare sätt. Jag är säker på att det gäller de flesta av oss medan vi jagar våra hundratals mål, önskningar och drömmar, men kom ihåg att lugn faktiskt går att kombinera med sådana ambitioner bara man tänker till lite och verkligen tar hand om sig själv.

Annette Twigg är allmänläkare och har gett råd till massor av människor som drabbats av panikanfall. Efter min hyperventilerande skräckupplevelse på motorvägen var det första jag ville att förstå vad i hela friden det var som höll på att hända med mig fysiskt. Jag älskar att gå utanför ramarna och komma på nya sätt att tänka och leva, men att lära mig om de medicinska orsakerna kändes avgörande för att verkligen förstå hur jag kunde stoppa dem. Här beskriver Annette lite mer utförligt vad som händer med våra kroppar under den här processen.

F: Hej Annette. Kan du berätta lite om vad panikanfall egentligen är och varför vissa människor drabbas av sådana?

A: Symtom på ›panik‹ uppstår ur vår reaktion på ett hot eller stress och bildar grunden för vår ›kamp eller flykt‹-respons. I sådana situationer snappar vår blick upp ett visuellt hot och vidarebefordrar det till hjärnan, vilket utlöser en kemisk reaktion, bland annat utsöndringen av stresshormoner, vilket i sin tur ger ett antal olika fysiologiska effekter. Syftet med det är att öka blodtillförseln till musklerna så att vi kan springa i väg från hotet, försvara oss eller till och med angripa det.

Till följd av det ökar hjärtrytmen, liksom blodtrycket och andningsfrekvensen, för att maximera nivåerna av syre och energi (glukos) som sänds till musklerna – allt för att vi ska kunna springa i väg. Det är därför man upplever att hjärtslagen rusar och andningen ökar i frekvens och så vidare.

Eftersom blodet leds ut till musklerna flödar mindre av det till oväsentliga delar – sådana som verkar mindre viktiga som svar på ett hot – till exempel huden. Därför kan huden bli blek, kännas fuktig och ha en stickande känsla, för svett släpps ut som bidrar till att kyla ner musklerna. Man kan också bli torr i munnen, eftersom kroppsvätskorna går åt till blodomloppet för att uppehålla tillgången till syre och glukos.

Andra symtom kan också uppstå, som känslan av att tappa kontrollen, problem med att svälja eller känslan av en klump i halsen och dålig sömn (eftersom kroppen håller sig väldigt alert). För många blir nettoeffekten av alltsammans en känsla av fruktan, det vill säga panik. Men för andra kan nettoeffekten bli aggression eller ett raseriutbrott.

En människas individuella respons beror på en rad faktorer, som överlevnadsstrategier, tidigare exponering och uppbyggd motståndskraft. I det dagliga livet kan ›hotet‹ vi ser vara människor, platser, situationer, hundar eller insekter, och i många fall kan det vara pressen som byggs upp till följd av andra människors förväntningar på oss och för att vi inte vill göra dem besvikna, vare sig det handlar om familj, vänner, arbete eller annat.

Det viktiga är att förstå att de fysiska symtomen inte representerar något som kan göra oss illa, även om de ibland kan vara väldigt stressande och ibland paralyserande.

F: Har du sett en ökning av antalet personer som kommer till dig med de här symtomen?

A: Jag tror att sättet vi lever våra dagliga liv numera med stor sannolikhet bidrar till att fler människor upplever symtomen, för vi är inte särskilt bra på att låta hjärnan få tysta och icke-stimulerande stunder i dag, och det är inte bra för oss. Men det finns en större öppenhet kring ångest och mental hälsa nu, vilket med stor sannolikhet är till vår fördel och innebär att folk känner att de kan gå till sin läkare och prata om det.

F: Vad kan människor göra om de drabbas av panikanfall?

A: Vad som helst som minskar den allmänna ångestnivån hjälper också för att minska specifika rädslor eller utlösande faktorer, till exempel kan de som får hypnosterapi mot höjdrädsla upptäcka att de inte längre är rädda för spindlar och ormar och så vidare.

Sömnen är också en stor faktor när det gäller ångest och panik, och den har mer med allmän stress att göra. Kort uttryckt har vi dels episoder av djup (återhämtande) sömn, dels lättare sömn, ofta kallad REM-sömn (rapid eye movements), då vi kan drömma eller känna att vi på något sätt sover medan våra hjärnor ältar och tänker på en massa saker som verkar väldigt viktiga just då, men som på morgonen inte känns så akuta. Vi behöver korrigera balansen mellan dessa typer av sömn för att fungera.

Om vi har ångest eller är stressade/får panikanfall ältar vi ofta saker om och om igen (så kallat grubbleri). Om vi gör det under dagtid fortsätter våra hjärnor med det över natten, så vår sömn domineras av REM-sömnen, som är mindre återhämtande, vilket leder till att vi blir tröttare och får svårare att orka med saker. Vi känner att vårt perspektiv på livet förändras, eventuellt blir vi på dåligt humör, och så hamnar vi i en ond cirkel eftersom det hindrar vår sömn ännu mer.

Vi kan börja bryta denna cykel genom att ha perioder då vi inte tillåter sådant ältande. Det är grunden till att använda andningstekniker och mindfulness. Fysisk aktivitet hjälper också, så länge vi inte tänker. Så att spela fotboll, träna zumba eller tennis och liknande är bra. I hemmet brukar jag säga att löpbandet är bättre träning än motionscykeln, för på en cykel kan man trampa på pedalerna och fortsätta tänka, medan man på löpbandet måste fokusera mer på aktiviteten, för annars ramlar man av maskinen.

F: Har du några andra bra tips som avslutning?

A: När folk kommer och träffar mig och vi pratar igenom deras problem brukar ett av de största besvären vara känslan av att förlora kontrollen. Jag försöker betona för dem att insikten att ett problem existerar är startpunkten och att de har bokat in en tid ÄR att ta kontrollen – och det är väldigt viktigt. Jag vill inte få det att verka som om jag har något emot sociala medier, men många som använder dem stirrar sig blinda på andras positiva inlägg och tror att de är de enda som känner som de gör. Det är något vi måste tala om. I en bok som jag läser just nu var det en underbar formulering om någons hem, som sades sakna ›teknisk tinnitus‹, det vill säga att den inte hade någon dator, TV eller liknande. Jag tycker att den kommentaren ganska snyggt fångade vårt behov av det utrymmet för att befria oss från ovidkommande ›brus‹.

Men slutligen vill jag säga att om du lider av något av symtomen som jag nämnt här så bör du definitivt berätta om dem för din läkare om de blir besvärande. Det finns massor av saker som du kan göra för att hantera dem.

GE KROPPEN BRÄNSLE

Hur påverkar stressen dina matvanor? Behandlar du kroppen som en sopkorg, slänger ner vad som helst i den och hoppas att hålen som orsakas av livets ångest ska fyllas? Eller dras din mage ihop till en liten boll och vägrar ta emot näring eller låta dig njuta i stressiga tider? För mig blir det nog både och, vilket är ironiskt egentligen, för det är ju då som våra kroppar verkligen behöver få i sig omsorgsfullt bränsle.

Min stress kan komma i många olika former. Ibland innebär de små dagliga stressmomenten kring att få familjelivet fungera smärtfritt i kombination med min märkliga och ombytliga karriär att jag undermedvetet halkar in i adrenalinläge och bara känner behov av något att knapra på och gigantiska koppar kaffe för att hålla mig i gång. Och vid andra tillfällen, när stressen gör mig nedstämd, darrig och tung kan jag stå vid ett öppet skafferi och stoppa i mig snacks tills jag inser att tröstätandet inte kommer att göra mig ett dugg lyckligare eller lugnare.

Ingen av dessa reaktioner är särskilt bra för det allmänna välmåendet, och jag tror att dessa besynnerliga stress- eller ångestrelaterade vanor bildas när våra hjärnor inte är riktigt »på«.

Vi hör folk slänga sig med uttrycket »mindful« en hel del nu för tiden, men det råder stor förvirring kring vad det egentligen är. En av mina bästa vänner, Zephyr Wildman, föredrar att använda termen »awakefullness«. Hon menar att det handlar om att vara medvetna om och vakna på det vi faktiskt gör. I stället för att bara göra saker mekaniskt, halka in i vanemönster eller ignorera det uppenbara, måste vi vakna för verkligheten i det som händer och om möjligt gå tillbaka till frågan »varför« i den aktuella situationen. När det gäller ätandet ger vår »awakefullness« i de stunderna oss möjligheten att stanna upp och fundera på om tröstätandet eller vårt minskade intag av föda verkligen kommer att leda oss in på en positiv väg mot lugnet. Fast det kan förstås vara värt att påpeka ett par självklara saker: Om du är hungrig... ät; om du är proppmätt... ja, då kanske du inte vill.

Nu när vi har stökat undan de sakerna kan vi prata mer om det mer tanklösa ätande som vi med säkerhet vet inte har något med hunger att göra. Om du känner igen dig i någon av de ovannämnda vanorna, ta reda på vad konsekvenserna blir av de ögonblicken. Om jag utgår från mig själv kan jag ofta få skuldkänslor och ångra mig när jag har avverkat ett halvt paket kakor som jag egentligen inte ville ha. När min mage vägrar att ta emot mat kan jag bli ganska upprörd. Men om kroppen kör för full maskin har huvudet bättre förutsättningar att komma ikapp det allmänna hälsotillstånd som den fysiska kroppen företräder.

Sedan jag började uppmärksamma de här mönstren har jag försökt titta på hur jag kan förändra saker i stressiga perioder, så att min kropp kan fungera optimalt även om huvudet har andra problem att hantera. Det första steget är att vara medveten om att de existerar, sedan kan jag titta närmare på »varför« och kanske tänka efter en extra gång. Vill jag verkligen ha en till ostskiva täckt med inlagd gurka som jag äter direkt från kniven med kylskåpsdörren öppen och magen full, eller vore det en bättre idé att skjuta tallriken ifrån mig när kroppen skriker efter omtanke? När vi väl har blivit medvetna om de här mönstren kan vi försöka agera utifrån ett perspektiv grundat på kärlek till oss själva. Om du verkligen älskar dig själv och vill ta hand om din kropp, vilket beslut fattar du då? Så försöker jag göra varje gång jag vet att jag äter i stressade skeden. När den fysiska omsorgen finns på plats kan vi långsamt återgå till ett lugnare inre tillstånd.

För att vara helt realistisk kommer det definitivt att finnas tillfällen då vi alla tröstäter eller äter lite för lite när vi känner oss oroliga, så vi behöver inte vara alltför självkritiska om det händer igen – vi måste bara försöka vara vakna i stunden och tänka efter varför vi gör det. Små förändringar leder till större och är helt säkert en bra utgångspunkt för att komma in på rätt spår till lugnet. Kom bara ihåg att ge kroppen bränsle i enlighet med detta. Om du sprudlar av energi och idéer, se då till att ge kroppen bränsle som hjälper dig att förverkliga det du har i huvudet. Om du känner dig låg och apatisk, ge din kropp den näring den så väl behöver. Njut av varje tugga och inse att det hjälper dig på så många sätt. Älska maten du äter så kommer den att älska dig tillbaka.

Att laga mat och äta kan faktiskt vara en av de bästa aktiviteterna för mindfulness som finns. Som tur är älskar jag att laga mat, så jag kan glatt låta timmarna passera med visp i handen. Jag älskar att hacka, riva, röra om och knåda, för det sätter stopp för min ständigt pågående inre monolog och sätter mig i full harmoni med det fysiska. Jag älskar rytmen och detaljerna i matlagning och bakning – och jag gillar att äta maten ännu mer när jag vet att jag har lagt tid och kärlek på ett mål och jag njuter mer av smaken och konsistensen. När jag försöker skriva klart mina mejl på datorn samtidigt som jag stressar i mig lunchen eller försöker äta på stående fot medan jag lagar mat åt barnen mår jag jättedåligt. Jag minns knappt ens att jag ätit maten och det känns nästan som om den har fastnat halvvägs ner. Det kan vara svårt att ta sig tid att sitta ner och njuta av maten i den galna värld vi lever i, men försök att prioritera det när möjligheten finns. Små förändringar på det området kan göra enorm nytta fysiskt.

Stress är som en snöboll – om du inte hindrar den från att byggas upp så fort du ser den kommer den att fortsätta rulla och bli större och större. Välj något i listan över förslag för att stoppa stressen innan den får upp farten ännu mer.

STRESS

LUGN

Ta ett bad

Ta en promenad

Sitt vid ett öppet fönster i några minuter

Lyssna på din favoritlåt (och gör ingenting annat)

Gör en av andningsövningarna på s. 65

Blunda och föreställ dig en stillsam vy

Krama någon

Lyssna på en guidad meditation på nätet

Fyll ett pappersark med klotter

RÖR PÅ KROPPEN

Jag har alltid fått en stor kick av att träna. Jag har testat allt. Jag är ingen Frank Lampard utan träffar nätt och jämnt bollen när jag sparkar, och jag är nog den sämsta tennisspelaren som gått på jordens yta, men jag älskar att röra på mig. Träning har för mig aldrig handlat om sexpack på magen och dyra gymkort. Det handlar bara om att få mitt huvud och mitt dunkande hjärta i jämvikt och frigöra så många endorfiner jag kan. Det är ett omedelbart lugn som infinner sig. När jag rör på kroppen klipps förbindelsen till surret i hjärnan av med detsamma – den får varken tid eller utrymme att fortsätta sitt pladder eftersom den måste koncentrera sig på den fysiska uppgiften den har framför sig. Denna omedelbara inre tystnad är mitt lugn, det är utrymmet som ligger mellan den bubblande grytan av problem som jag tror att jag har och den fullkomliga tystnaden. Den där tystnaden mitt emellan är platsen där varje tanke och bekymmer i tysthet bearbetas medan blodet pumpas runt i mina ådror. Det är en plats där jag kan gå djupt in och komma tillbaka till ett tillstånd där jag vet att allt är helt okej, och om jag vet att allt är helt okej blir jag lugn.

Aktiviteterna jag sysslar med varierar och jag bryr mig inte om vad de ger för resultat – det kan vara en löprunda som känns ansträngande i början men som utmynnar i en bra halvtimmes joggingrunda, eller en överentusiastisk rusch som övergår i en långsam promenad. Så länge jag rör på mig och min hjärna tystas ner är resten irrelevant.

Förutom att jag genast skördar frukterna av träningen vet jag att stunderna i rörelse även främjar mitt lugn på lång sikt. Oavsett om jag promenerar, springer, simmar, gör yogaövningar eller dansar runt i köket till Justin Timberlake med barnen stärks mitt hjärta, mitt kardiovaskulära system fungerar bättre och jag maxar mitt allmänna välbefinnande. Det är sällan jag tränar för att pressa mig till orealistiska gränser, för jag har inte någon lust att köra slut på min kropp. Jag har gjort några kul resor förr om åren – klättrat i berg och varit på långa cykelsemestrar – men nu för tiden föredrar jag att söka upp fysiska aktiviteter som främjar mitt fysiska hälsotillstånd på alla tänkbara sätt. Det sägs så många motstridiga saker numera som förvirrar oss ytterligare och tar bort lugnet kring det som har med träning att göra, och det dyker upp så många tillfälliga trender och flugor som man uppmanar oss att prova på. Tatueringar med texten »strong not skinny«, deffade och solbrända kroppar som sprakar fram på människors Instagramkonton. Vi vet inte längre vilken sorts zumba-pilates-pass vi ska anmäla oss till och vilken storlek på vadmusklerna som anses lämplig.

Som jag ser det är ingenting av detta relevant. Vi borde egentligen bara sikta på att må bra. Om du känner dig fri och upprymd av att springa, men spring då, Forrest, SPRING! Om det känns som bra träning och en väg till lugnet att gå ut med hunden – hämta kopplet. Kör bara på det som känns bra för dig. Var stark, smal, kurvig, deffad, mager, plufsig, vrålsnygg eller vad tusan du vill… så länge du känner dig sund och sprudlande. Bra energi är lika med lugnare hjärna och det är sannerligen någonting att eftersträva!

Min egen skräddarsydda rutin består i… inget sammanhang alls. Somliga dagar kanske jag springer i parken, tittar på de ständigt föränderliga träden och soluppgången en disig morgon. Andra dagar kanske jag har tid att ta ett yogapass i området där jag bor, eller så tar jag med mig barnen ut på en cykeltur så att deras lungor fylls med luft och våra huvuden får mer utrymme. Gör det som KÄNNS bra för dig. Det kommer alltid att leda dig tillbaka till lugnet!

LIVETS GODA

Sömn. Åhhh, den där underbart behagliga känslan som infinner sig när fåglarna slutar sjunga och himlen draperas av svarta sammetsgardiner. Att sova gott är som orgasm, men när man sover dåligt är det snudd på tortyr. Jag har sovit dåligt i omgångar, speciellt sedan jag fick barn. Under en period såg jag sömnen mer som lyx än nödvändighet, vilket är en dålig ovana att lägga sig till med om man inte vill se ut som 90 vid 35. Det är många föräldrar som glider långt ut ur sina normala sömnmönster efter månader i sträck med amning, blöjbyten och allmänt vakande och stirrande in i de små näsborrarna för att säkerställa att barnet andas. Inte ens när barnen lär sig att sova hela natten känner man att man helt kan släppa taget och somna, för halva kroppen är fortfarande i beredskap. De som jobbar natt eller har oregelbundna arbetstider lär ha upplevt någonting liknande, då man ständigt väntar in den oundvikliga undergången när väckarklockan ringer eller något oljud från gatan som väcker en ur tuppluren på eftermiddagen.

Sömnbrist leder med största sannolikhet till brist på lugn. Allt känns konstigt när man inte får sig en god natts sömn. Man får lite dimmigt fokus, kan koncentrera sig ungefär lika bra som en hundvalp och det allmänna tålamodet för något eller någon i livet är noll. När jag är utmattad och sömnen har blivit uppbruten känner jag mig lite lätt vansinnig. Ingenting verkar stämma och beslutsångesten är total. Jag har stått vid en kafédisk i flera minuter och våndats över om jag ska beställa kaffe eller te innan min väldigt uttråkade vän har tvingat mig att fatta beslut. Små beslut tycks oöverstigliga och stora blir fullkomligt olidliga. Sova behöver vi alla – och sömnen bör vara kvalitativ. Det är avgörande för att vi ska fungera väl om dagarna och göra allt vi vill och behöver göra medan solen skiner.

Jag är morgonmänniska av naturen. Jag älskar att kliva upp till en ny dag med fräscht huvud och nya idéer och kasta mig in i vilket äventyr det än är som väntar.

Självklart gör jag det med något mindre entusiasm vissa dagar, men har jag en bra dag är jag ivrig att slänga mig ut. Framåt kvällen rör sig både min kropp och mina tankar mot tidig läggning. Jag känner påtagligt det inre behovet att ladda och kalibrera om inför morgondagens kaos. Jag går hemskt gärna ut någon gång då och då, men för det mesta är jag för splittrad av att ha gjort alldeles för mycket under den gångna dagen. En dålig ovana som jag skaffade mig förra året var att gå och lägga mig för tidigt. *Kan* man verkligen göra det, undrar du? JA! Jag sumpade hela mitt flöde genom att krypa till kojs klockan nio på kvällen för en timmes läsning och därefter djup, splittrad sömn under första delen av natten. Jag vet, inga coolhetspoäng för det medgivandet! Sedan satte den postnatala inkontinensen in och jag pendlade till och från badrummet fram till soluppgången, vilket var både irriterande och katastrofalt för den kommande dagens arbete och umgänge med familjen.

Jag klagade över min uppbrutna sömn för en vän, som nämnde uttrycket »sömnhygien«. Jag försvarade mig med att jag hade fullständigt rena lakan och skötte mig alldeles utmärkt på det området, men han fortsatte med att förklara vad begreppet egentligen betyder och hur det skulle kunna hjälpa mig. Konceptet uppkom på 1970-talet och består i en rad regler som man bör tillämpa på sin sömn om man har problem. Faktum är att jag aldrig har lidit av fullkomlig sömnlöshet och jag känner den yttersta sympati för er som tampas med det regelbundet, men jag var definitivt sugen på en uppgradering av de där passen på två, tre timmar som jag fick varje natt. Jag gjorde lite efterforskningar om sömnhygien, och även om det framstod som ganska självklara saker tänkte jag att jag skulle ge det ett försök. Det slår mig ofta att de självklara råden är de som är lättast att ignorera, men de är ofta otroligt effektiva.

Alla regler verkade bygga på en enda enkel huvudregel, vilken var att sängen ska vara vikt enbart för sömn och sex. Inga andra aktiviteter fick komma på fråga under det blomstermönstrade överkastet! Så frukost på sängen kunde man glömma (och ska jag vara ärlig hade jag glömt det långt innan de här reglerna kom in i mitt liv – två småbarn reder ut det gott och väl på egen hand) liksom att sträckkolla igenom en DVD-box en söndagskväll eller komma ikapp med mejlen en regnig dag liggande på den bekväma sängmadrassen. Men för mig var det största avbräcket regeln INGEN LÄSNING I SÄNGEN. Det hade VARIT mina kvällar innan jag snubblade på den här nya teorin. Vad sjutton skulle jag då syssla med under den utsträckta tidsrymden mellan middagen och sömnen? Sedan insåg jag att jag kunde läsa i badkaret. Det kändes som det näst bästa alternativet efter sängen och fick duga tills vidare.

Så i stället för att vara synonym med historier, ord och funderingar efter en timmes läsning av min favoritroman är min säng bara en plats att snarka i. Kunde detta enkla mentala knep verkligen funka? Ja, det verkar faktiskt göra det. I ungefär en vecka hade jag lust att fuska på samma sätt som man snabbt kan vilja klämma i sig en stor munk när man är inne i en hälsosam våg. Skulle någon märka om jag läste i sängen? Skulle det verkligen spela någon roll? Vill jag verkligen dra på mig FLER regler?

Men jag höll fast vid regeln, och följden är att jag bara går på toaletten en gång per natt i genomsnitt. Jag har fortfarande stunder då jag vet att jag inte har kommit in i djupsömnen, men det händer betydligt mer sällan om jag håller mig till det här nya sömnhygieniska mantrat.

Att gå och lägga sig vid rätt tidpunkt var också ett måste, för det är bäst att göra det när man är redo att somna med en gång. Förr gick jag och lade mig alldeles för tidigt och hann stimulera tankarna igen innan jag blev trött. Det är naturligtvis mycket bättre att hålla kropp och hjärna i arbete utanför sovrummet och sedan gå och lägga sig när man verkligen behöver det. Ett förbehåll är att man bör försöka begränsa intensiva aktiviteter till ett minimum under timmarna

RENSA TANKARNA FÖRE LÄGGDAGS

Jag sover inte alltid så bra, så jag tycker att det är väldigt bra terapi att skriva en lista över allt jag tänker på innan jag går till sängs. Skriv ner allt som upptar dina tankar här. Det kan vara morgondagens inköpslistor, folk du behöver ringa eller större bekymmer om framtiden. Sätt det på pränt och inse att du kan klara av det efter en god natts sömn.

före sänggåendet. Så om möjligt är det en vettig idé att låta ordentligt med tid gå mellan träningsaktiviteter och läggdags.

Nu för tiden är det telefonen som är den mest frestande bakelsen! Bara en till smygtitt på Instagram innan jag lägger mig. Bara en liten rusch genom nyheterna på nätet innan jag stänger av. Alla dessa stimulerande historier, idéer och fotografier ger inte vår hjärna de rätta signalerna för en luxuös nattsömn. Ljusskenet som våra mobiltelefoner utstrålar är dessutom en signal till hjärnan att vara alert och tro att det fortfarande är dag, så där har vi ytterligare en anledning att stänga av telefoner och datorer innan vi planerar att sova. Jag satte faktiskt upp den regeln för mig själv för ett bra tag sedan. Jag gillar att vara i takt med jobbmejlen, så jag brukade ha min telefon beredd vid sängkanten. Men jag blev så beroende av den att jag nu stänger av alla enheter omkring klockan nio och sätter sedan inte på telefonen förrän nästa dag. Världen kommer inte att gå under om jag inte svarar på ett jobbmejl eller får reda på vilken kroppsdel Kim Kardashian har visat upp den dagen.

Vi har blivit så vana allihop vid att ta emot all information hela tiden och därför är toleransen för andras försenade svar nära noll. Vi vill ha svar och vi vill ha dem snabbt. Sådana förväntningar kan ta oss så långt från lugnet. Vi har inget tålamod och ingen förståelse för vad någon annan kanske är upptagen med just då och förutsätter att andra är oförskämda eller lata om svaret inte kommer inom en timme. Ta en paus från kraven som mobilen ställer på dig och sätt mindre press på andra också. Jag försöker fortfarande bemästra detta, men herregud vad det hjälper att sova ordentligt.

TA HAND OM DIG SJÄLV

En annan viktig sak för att hitta lugnet är att ta hand om sig själv. Det är väsentligt för vårt allmänna välbefinnande och vi måste själva ta ansvar för det, för ingen annan kommer att göra det åt oss.

Att tänka på sig själv ger oss kalla kårar och panik. Varför är vi så dåliga på att ta hand om oss själva i vår kultur? Vi ser det som en lyx förbehållen eliten eller ett lyckosamt fåtal, fastän det egentligen borde genomsyra allas våra liv, oavsett vad vi går igenom. Den vanliga ursäkten för att inte ta hand om sig själv i vår tidsålder är att…

Jag har inte tid.

Jag har för många andra att bekymra mig över.

Jag behöver inte det.

Jag är alldeles för upptagen för det…

Att ta hand om sig själv sätter vi allra längst ner på listan över saker att göra varje dag, men hur ska vi beta av alla saker på listan på bästa sätt om vi inte ser till hur vi själva mår? Det är här som så många av oss går bet. Vi är så fokuserade på andra, vårt slutmål eller helt enkelt att göra för många olika saker att vi tappar det mest självklara ur sikte. Vad är det för mening med att ha ett toppjobb om det ger oss dålig hälsa? Vad är det för mening med att ha en väl organiserad och utbildad familj om vi inte kan njuta av livet tillsammans med den? Vad är det för mening med att ha en fulltecknad kalender om vi är för trötta för att tycka det är kul?

Vi rycks med så pass av alla »måsten« att vi glömmer de mest grundläggande sakerna. Jag brukar alltid känna att förenklingar i livet leder till lugn. Några delar av våra liv är helt enkelt oundvikligt komplexa och invecklade, men det finns andra delar som vi faktiskt kan förändra. Vi kan be om hjälp, ha lite mindre på gång och skriva om våra egna regelböcker.

Om vi vet med oss att vi tar hand om oss själva för att öka vårt optimala välbefinnande, så blir vi mindre stressade både i kroppen och tanken. Om vi mår bra både fysiskt och mentalt är det så mycket enklare att agera från ett lugnt tillstånd, att fatta beslut med full trygghet och veta att vi i grunden mår helt okej. Om vi har ont, är sjuka, är mentalt slutkörda eller har gått in i väggen känns allting annat i livet som en börda. Bara att fatta små beslut kan tippa oss över kanten, andras handlingar kan få oss att vilja hålla oss undan snarare än att lugnt bemöta dem och den höga farten i våra liv kan få oss att känna oss uttömda. Om vi ser till att ge oss själva tid och utrymme att göra det vi mår bra av underlättar vi andra knepiga aspekter av livet och låter lugnet utöva sin magi.

VAD BETYDER DET FÖR DIG ATT TA HAND OM SIG SJÄLV?

Att ta hand om sig själv kanske inte är ett så lättfärdigt och lyxigt koncept som du tror. Det behöver inte handla om att gå till något snofsigt spa över dagen eller att smeta in sig i dyra krämer. För mig är det mycket enklare än så. Bästa sättet jag kan uttrycka det på är att jag tänker på mig själv som en vän. Om en vän skulle komma till mig och säga att hon var trött och utmattad skulle jag säga åt henne att vila och ta det lugnt. Ibland när jag känner mig slutkörd vägrar jag låta mig själv koppla av – jag fortsätter pressa på medan mina demoner dyker upp och talar om för mig att jag är lat. Men om jag föreställer mig en vän med samma klagomål vet jag exakt vilket råd jag skulle ge.

Om jag är upprörd eller förvirrad försöker jag återigen föreställa mig vad jag skulle ha sagt till någon jag älskar. Kanske skulle jag ha föreslagit lite frisk luft och fysisk rörelse eller tidig läggning och en bra komedi. Vi dömer oss själva så hårt, så att föreställa sig vad vi skulle säga till någon annan är ett jättebra sätt att komma i kontakt med det vi innerst inne vet fungerar. Allt handlar om att vi är snälla mot oss själva och mindre självkritiska för tidigare misstag och att vi rör på oss och vilar ut.

Att ta hand om sig själv handlar för mig om att lyssna på våra kroppar, så att vi vilar när de behöver vila och sätter oss själva i rörelse när tankarna snurrar runt, runt i huvudet. Det handlar om att med enkla medel försöka få oss själva tillbaka på rätt spår, och att vi fattar det beslutet utifrån kärlek till oss själva.

Att ta hand om sig själv handlar inte om slapphet eller lyx, utan om att inte vara så hård mot sig själv. I dessa dagar kan det vara svårt, särskilt för kvinnor, eftersom det finns massor av saker som ständigt påminner oss om vad vi skulle kunna uppnå eller känna mindre skuldkänslor för. Så många saker som vi förutsätts vara engagerade i eller sträva efter, så många saker vi ska vara bekymrade över – undvika åldrande, kroppsbyggande, viktminskning, att ha rätt kläder på sig, att klättra i karriären till jobbet med mest inflytande, att gifta sig med den perfekte partnern och så vidare. Kraven och pressen vi sätter på oss själva tar aldrig slut, så det är lätt att sjunka ner i jämförelse och förtvivlan. Om vi sliter oss loss från dessa ständigt malande alternativ kan vi bara vara som vi är och inse att vi klarar oss utmärkt för stunden. Vi behöver inte banna oss själva för att vi är oupplysta i ett visst ämne, inte kan ta itu med ett visst problem eller inte har perfekt hår. Försök alltid tänka på vilket råd du skulle ha gett till någon du älskar och tillämpa det sedan på dig själv. Det är det som är att ta hand om sig själv.

När jag vet med mig att jag dömer mig själv för hårt föreställer jag mig vad jag skulle säga till en vän och vilket råd jag skulle ge i en liknande situation. Skriv ett brev nedan till dig själv, tänk dig att det är en vän du talar med och se hur mycket snällare, mjukare och mer förlåtande du blir. Fundera sedan på om du kan tillämpa dina egna råd och förslag på situationen.

TILL

ÄMNE

Så hur ska vi göra allihop för att få det här tänkesättet att prägla våra vardagsliv? Till att börja med: försök vakna varje morgon till en positiv tanke om dig själv. Börja dagen med att minnas en positiv egenskap eller egenhet som du uppskattar och hyllar från samma stund som du öppnar ögonen. Om vi börjar dagen med att trivas med dem vi är lägger vi ribban för resten av dagen. Lyssna på din kropp och se var du befinner dig på din egen välmåendebarometer. Om du känner dig full av energi och optimism, gör då det bästa av det den dagen. Kliv ur din trygghetszon med vetskapen att du har energin som krävs. Om du vaknar och känner dig hängig av dåligt immunförsvar, gör det som är ditt bästa den dagen – det kan vara betydligt mindre än dagarna innan, men inse att det är okej att inte nå sådana höjder den här dagen eller att pressa dig själv varenda dag i veckan. Tillåt dig själv vila och återhämtning när det behövs.

Och slutligen: gå och lägg dig och tänk på att du har gjort ditt bästa. Om du har gjort misstag så spelar det ingen roll – det är bara en del av din historia, som du ständigt lär dig av. Vi kan lära oss av misstag, gå vidare och försöka på nytt. Det finns inga undantag från detta på vår jord. Vi gör alla misstag och vi får alla en ny chans. Var inte för hård mot dig själv, acceptera dina handlingar och reaktioner och känn dig lugn i att du har gjort ditt bästa.

Sammanfattning

VAR SNÄLL MOT DIG SJÄLV.

Ta hand om din kropp, ge den ordentligt med näring och njut av hur den rör sig.

SÖMN.

Se inte sömnen som ett extra tillval, utan avsätt tid för den och inse kraften i den.

KOM I HARMONI MED KROPPEN.

Inventera varenda del av dig och lyssna efter vilken del som behöver vård.

HUR SER EN LUGN KROPP UT FÖR DIG?

Skriv ner ett ord eller rita en bild här som sammanfattar det.

LUGN ANDNING

Att fylla våra lungor med luft och släppa ut den igen är en reflexhand-ling och något vi sällan ägnar så mycket tanke eller tid åt. Så hur svårt kan det egentligen vara att andas? Hur kan man misslyckas med det? Det rungande svaret är helt klart »VÄLDIGT« och »på massor av olika sätt«! Det är så många som har för vana att dra den livsviktiga luften in och ut ur oss på märkliga sätt, och jag är en av dem. Tänk tillbaka på den senaste gången du var upphetsad eller stressad. Det är mycket troligt att din andning då blev antingen mycket snabbare än normalt eller tvärstannade.

ANDNINGSTYPER

När jag började skriva den här boken var andningen ett av de områden som jag ville fokusera på. Jag nämnde hur viktig den är i *Glad*, men efter att ha varit med om anfallen av panikångest var det något jag ville undersöka mer på djupet. Det första jag lade märke till under de där skrämmande minuterna var nämligen känslan av att inte ha någon kontroll över de korta, häftiga flämtningar som satte hela kroppen i panikläge. Lungorna kändes som om de nästan drogs samman snarare än att lugnt och fint samla in det syre de behövde. Min instinkt i de panikfyllda ögonblicken var att andas djupare och lugnare. Jag ansträngde mig verkligen för att sluka luft djupt ner i magen och sedan blåsa ut den i en jämn utandning. Men det var paniken som styrde och den hade andra planer, och den pressade samman lungorna ännu mer så att bara en pytteliten mängd luft släpptes in och ut varje gång.

När jag blir nervös har jag en tendens att göra precis tvärtom. Om jag ställs inför massor av ansträngande jobb och ska formulera repliker eller är på väg att säga något brukar jag hålla andan så att hela bröstkorgen fylls. Luften blir kvar där till det överhängande ögonblicket av möjlig katastrof och vågar inte lämna lungorna för den händelse att det skulle orsaka någon sorts problematisk dominoeffekt. Om jag håller mig så stilla jag kan och spänner lungorna och musklerna så kanske jag stålsätter mig tillräckligt för det som ska komma och möjligtvis kommer allt att gå enligt planerna. Allt det här sker helt undermedvetet, men sedan jag började gräva i ämnet inför den här boken är det något jag är betydligt mer medveten om och fascinerad av.

Jag har redan nämnt tekniken jag använde vid min andra förlossning (med Honey). Min vän Hollie de Cruz, som specialiserar sig på hypnobirthing, bad mig tänka på en stor färgglad ballong under värkarna. Hon sa åt mig att andas in vid varje sammandragning och föreställa mig hur ballongen vidgades, sedan lärde hon mig att lugnt och stabilt släppa ut andetaget. Jag vet inte riktigt hur alkemin bakom denna enkla teknik fungerar, men däremot vet jag att den har förändrat allt totalt för mig. Den gav mig möjlighet att lugna ner kroppen så att varenda liten millimeter av mig ingavs tron att allt var bra och att jag skulle klara mig igenom det hela. Det behövdes inga mentala knep, och inget magiskt hippieviftande med salviakvistar framför näsan på mig. Jag kände helt enkelt att jag tog tillbaka kontrollen och lugnet genom hur jag andades. Men även efter det ögonblicket, efter att jag varit med om den mäktiga effekt som medveten andning kan ge, förpassade jag av någon anledning kunskapen till en undanskymd vrå av mina tankar vikt för »barnafödsel« och fortsatte andas på ett väldigt oregelbundet sätt i vardagslivet.

»LÄRA SIG« ATT ANDAS

Kan alltså någon annan lära dig att andas? Ja, det är faktiskt sant! Jag hörde talas om andningscoachen Rebecca Dennis via en vän och blev nyfiken, och som en del av researcharbetet för den här boken följde jag med för att se hennes magi med egna ögon. På sidan 58 hittar du min intervju med Rebecca och några av andningsövningarna som hon tog mig igenom, men jag ska berätta kortfattat redan nu vad jag fick uppleva:

När jag kom till yogasalen där Rebecca jobbar sa jag till receptionisten att jag hade bokat ett möte med henne, vilket möttes med ett glatt leende

Våra hjärnor är sprängfyllda med information, idéer, bekymmer, drömmar och allt däremellan, och ibland känns det som en myllrande basar i huvudet. Fyll i tomrummen i bilderna nedan vad du har i tankarna och hur din hjärna känner sig i dag.

Min hjärna

Lite spänd
Trött
Bekymrad
Nervös
Glad
Kreativ
Ganska rörig

Din hjärna

och en långsam nickning. Jag förstod redan då att det var något speciellt jag skulle få vara med om.

Rebecca lotsade mig igenom sin egen otroliga historia och hur hon hade upptäckt teknikerna som hon nu utövar tillsammans med en mängd trogna anhängare. Jag var fascinerad men hade fortfarande inte en susning om det jag strax skulle få vara med om. Hon sa att jag genom att ta del av kontrollerade och guidade andningsövningar kunde frigöra många djupa föreställningar och gamla låsta missnöjeskänslor, trauman eller oroskällor så att jag kunde gå vidare och lägga allt bakom mig. Hon sa också åt mig att inte förvänta mig någonting alls, utan bara släppa taget och se vad som händer utan att tänka så mycket på det.

Jag ställer ofta mig själv frågan om inte det är vårt största problem i den moderna världen. Att vi allihop TÄNKER för mycket. Det är konstant: idéer, oro, bekymmer, jämförelser, antaganden. Det tar inte slut förrän vi kastar oss i sängen för att sova, helt utmattade och med allting uttänkt och klart. Lyckligtvis började jag stänga av helt naturligt så fort jag börjat med övningarna hos Rebecca, för jag var så fokuserad på att få till andningstekniken på rätt sätt (SMÖRIG ELEV!) att alla andra tankar lämnades kvar ute i den kaotiska Londontrafiken där jag lämnat dem. Tiden verkade sakna mening under hela det här äventyret, så jag kan inte säga exakt efter hur lång tid det började ge verkan, men så fort jag kom in i det mystiska kretsloppet av andetag verkade allting öppnas upp. Den tryckande känslan i bröstkorgen försvann, det kändes som om luftstrupen vidgades och mer luft strömmade in, och magen mjuknade och slutade försöka se platt och återhämtad ut efter förlossningen. Medan Rebecca rörde sig runt min kropp på golvet, tryckte på specifika tryckpunkter och uttalade mantran kände jag mig som en liten utomjording som obducerades. I det ögonblicket insåg jag att jag levde på ett sätt som fick mig att känna att jag inte alls var mänsklig. Som jag hade pressat mig själv, utan att stanna upp, med tankarna ständigt snurrande och utan undantag lätt stressad och frånvarande. Nästan totalt avskild från det ursprungliga tillstånd det är att vara människa. Vi kommer allihop till planeten jorden helt utan erfarenheter, ånger eller trauma och är förprogrammerade att se glädje, skratt och kärlek, så hur kommer det sig att så många av oss rör sig så långt bort från det? Som barn strövar vi omkring, iakttar, lyssnar, luktar, söker alltid glädje och har ett behov att ha roligt för stunden. Rebecca lyfte fram detta och drev bort alla de där moderna stressfaktorerna med sina ord och händer. Jag kunde känna hur allt löstes upp och försvann.

Sedan började tårarna rinna. Inga dramatiska, filmiska snyftningar, utan snarare vilda gnyenden som for ur mig i hög fart. Varma tårar strömmade medan jag kände smärtan och stressen från miljontals ögonblick flöda genom mig. Minnesbilder från förlossningar, människor som gjort mig illa, oro som jag bär inom mig förknippad med människor och platser som har med min historia att göra, perioder då jag känt mig förkrossad. Allt forsade ut ur dessa nya öppna utrymmen.

UPPBYGGD STRESS

Jag fick flera insikter medan dammluckorna var öppna. En av dem var hur lätt stressiga händelser kan byggas upp, så att när någon liten grej händer – kanske en parkeringsbot eller att jag känner mig lite trött – maximeras stressen och jag tappar lite av kontrollen. Det beror på att små obetydliga ögonblick sitter som små kanariefåglar på gigantiska elefanthuvuden av stress. Denna massa under dem består av en mängd olika händelser och känslor som har byggts upp med tiden och stannat kvar där orörliga – tills vi inser att vi egentligen inte behöver hålla fast vid dem längre. Vilken uppenbarelse! Jag kunde släppa taget om de där små stressmomenten som inte gjorde någon som helst nytta för mig. Stressmoment som hörde till det förflutna och som ändå inte påverkar eller betyder något för livet jag lever i dag.

En annan insikt var att jag inte gillar att erkänna för mig själv att jag har blivit sårad. Jag känner mig väldigt lyckligt lottad som har tak över huvudet och mat i kylen och än så länge har den fysiska hälsan i behåll, så varför skulle jag inte kunna säga rakt ut att jag har blivit sårad? Kan det verkligen ha så stor betydelse och är det verkligen något jag fortfarande klamrar mig fast vid? Under övningen insåg jag att jag absolut gör det, och det ligger bakom en väldigt stor del av stressen jag känner för livets banala, mindre problem.

Jag har blivit väldigt sårad av vissa personer genom åren. Några av dem finns fortfarande kvar i mitt liv, men andningsövningen klargjorde för mig att smärtan jag känt under vissa särskilda omständigheter fortfarande sög energi ur mig och fick allt annat i livet att se lite gråare och mer irriterande ut. Jag söker inget medlidande genom att erkänna det här för er, eller ens för mig själv – alla har väl blivit sårade av någon genom åren – men det jag insåg var att det är okej att känna de känslorna och uttrycka dem högt. Att släppa ut känslorna bekräftade dem för mig och fick mig att känna att det inte var någon fara att medge dem.

Men en sak som jag också lärde mig var att de där känslorna har ett bästföredatum, och om vi inte släpper taget om dem och lär oss känna

tillit igen kommer vi att bära runt på denna stora säck med skit alldeles
för länge och alldeles i onödan. Att medge smärtan och släppa ut den
ur de små skrymslen i min kropp som jag stängt in den i kändes minst
sagt befriande.

Mot övningens slut kände jag mig lättare, mer medveten om vad som
hände med mig och alldeles pirrig. Det kändes som om jag skulle kunna
svepa ut ur salen på en flygande matta av nyfunnet utrymme i livet.

Andningsövningarna ger helt klart extremt intensiv kraft och är något
jag verkligen vill fortsätta med på fritiden, men den där övningen fick
mig också att inse att väldigt mycket av det jag klamrade mig fast vid
bidrog till en stor del av stressen jag kände varje dag. Att släppa taget är
det centrala, och det känns ibland omöjligt, men jag tror att den bästa
utgångspunkten för att göra det är medvetenhet, tålamod och lite kärlek
till sig själv. Jag vet att det finns många fler saker jag behöver släppa
taget om och en hel drös saker jag behöver lära mig att acceptera för att
kunna göra det till verklighet fullt ut, men det känns spännande snarare
än skrämmande. Mina andningsäventyr har bara börjat.

Det här fantastiska psykiska och fysiska äventyret har fått mig att
ställa så många frågor. På nästa sida förklarar Rebecca sin andningsmagi
och gräver lite djupare i ämnet.

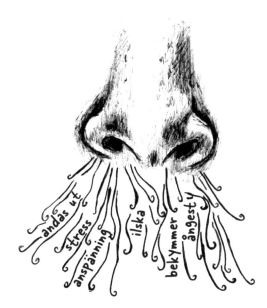

HEJ TILL... REBECCA

F: Hej Rebecca. Det har varit så underbart att få träffa dig och ta del av dina fantastiska övningar i transformativ andning. Kan du berätta i grova drag vad de här övningarna kan leda till?

R: Grunden till alla andningsövningar är i praktiken att förstå våra andningsmönster och djupandning eller ›magandning‹ – när man låter diafragman sjunka ner och bröstkorgen vidgas, så att man skapar mer utrymme åt lungorna att fyllas. I en av mina övningar ber jag dem som andas att visualisera andningen ända ner till bäckenbotten och börja med att vidga andetaget i nedre bukpartiet. Det sättet att andas kallas även för ›djup diafragmatisk andning‹ eller ›medveten kopplad andning‹ och den bidrar till att balansera nervsystemet. När vi aktiverar vårt parasympatiska nervsystem är detta vårt lugna tillstånd, då hjärtrytmen saktas ner, vårt blodtryck sänks och vår blodtillförsel inriktas på att främja matsmältnings- och fortplantningssystemen snarare än musklerna och hjärnan. När vårt parasympatiska nervsystem är aktivt minskar aktiviteten hos vårt sympatiska nervsystem – vårt ›kamp eller flykt‹-läge. Det är det läget som ökar hjärtrytmen, blodtrycket och andningsfrekvensen för att göra oss redo för handling – och det ligger dessutom bakom ökad utsöndring av stresshormonerna adrenalin och kortisol i kroppen.

Många av oss är omedvetna om att vi befinner oss i ›kamp eller flykt‹-läge hela tiden eller att vi har ångestkänslor som vi betraktar som en normal del av tillvaron. Människor är skapta för att gå in i ›kamp eller flykt‹ om fara hotar eller om vi flyr för livet, inte för att öppna inkorgen på mejlen eller känna pressen från åtaganden vi har gjort. Problemet är att de flesta av oss antingen andas snabbt, kort och ytligt hela tiden eller håller andan regelbundet. Många av klienterna jag ser andas med bröstet och inte med magen. Det skapar spänningar i de muskler vi behöver för andningsfunktionen som musklerna i axlar, nacke och hals samt interkostalmusklerna. Vi har en tendens att andas i övre delen av bröstet och inte längre än så, och utnyttjar därmed inte hela lungkapaciteten.

Den transformativa andningens grundare, den välrenommerade andningsexperten Judith Kravitz, som studerat hur människor har andats de senaste fyrtio åren, instämmer och menar att människor enligt hennes erfarenhet bara använder omkring 25–30 procent av sin lungkapacitet.

Andas vet alla hur man gör, men ändå tappar majoriteten av alla tonåringar och vuxna sin naturliga förmåga att andas fullt ut. Vi betingas från tidig ålder att kontrollera våra känslor, och resultatet av det är att musklerna blir spända och andningsmönstren inskränkta. Effekten på vårt psykiska och fysiska välmående är enorm.

Genom att lära oss att medvetet knyta an till vår andning och främja dess naturliga rytmer kan vi skapa harmoni mellan kropp och tanke, leva livet fullt ut, släppa känslorna fria och känna oss lugna och rotade. Andningen kan ha en läkande effekt på många plan, och naturligtvis är den också livsuppehållande – den tar in syre, stärker de röda blodkropparna och driver ut koldioxid, som är en metabolisk slaggprodukt.

Det första vi gör vid vår entré till den här världen är att andas och det är det sista vi gör när vi lämnar den, så det är lika bra att vi har en bra relation till hur vi gör det. Alla är unika och alla har vi vårt eget andningsmönster, ungefär som vi har vårt eget fingeravtryck. Vårt andningsmönster visar hur vi fungerar i världen och vad vi har för överlevnadsmekanismer. Som andningscoach har jag tränat mig i att läsa av de mönstren.

Spädbarn är perfekta andningsguruer, och observerar man dem ser man hur öppen, sund andning borde vara. Spädbarn är så närvarande, de har inte femtiotusen olika tankar om dagen som vi vuxna, och om du betraktar dem liggande i sin spjälsäng ser du att deras andning sker i magen, mellangärdet och bröstet, och det finns inga blockeringar eller inskränkningar. Samma sak gäller lite större barn. Men de flesta tonåringar och vuxna andas antingen med bröstet eller magen, eller så andas de ytligt eller håller andan. Forskning visar att vi bara utnyttjar omkring 33 procent av våra andningsfunktioner. Medvetet anknuten andning hjälper oss att förstå och göra oss av med de inskränkta andningsmönstren. Genom att öva in tekniken öppnar vi upp andningsfunktionerna så att deras fulla kapacitet kan utnyttjas, vilket främjar vårt allmänna välbefinnande på en fysisk, psykisk och emotionell nivå.

F: Hur kan medvetenhet om andningen hjälpa oss i livet?

R: Andningsövningar är i mångt och mycket som terapi, fast utan att man behöver stå för pratandet, vilket för vissa känns som en välkommen lättnad. Det handlar inte om att gå igenom sin historia om och om igen, utan om att släppa taget om den. Våra erfarenheter är vår perception, och med övningarna får vi kontakt med den medvetna och den undermedvetna tankevärlden. Vår kropp är som en biologisk dokumentation av vårt förflutna, och när vi upplever känslor som rädsla eller ilska eller känner oss stressade kan det leda till kaos för vår fysik. Hjärtrytmen ökar, musklerna spänns, matsmältningen och immunsystemet kan påverkas. Vi aktiverar vårt sympatiska nervsystem, vår ›kamp eller flykt‹-mekanism, och frigör adrenalin och kortisol. Vår kropp minns allt och klamrar sig fast vid minnena. Tänk på hur din kropp stelnar till eller reagerar och triggas av händelser eller människor i vissa situationer. Information flödar ständigt ner till kroppen från hjärnan och vice versa och lagras som i en dator.

Precis som vi blinkar med ögonen, som hjärtat slår och matsmältningssystemet fungerar andas vi automatiskt. När vi blir medvetna om vår andning kan vi kontrollera och bli medvetna om hur vi andas. Det kan ge oss väldigt stor styrka och bidra till att vi känner oss lugna, förankrade och avslappnade.

F: Hur snubblade du på den här revolutionerande övningen och hur har den hjälpt dig?
R: Jag drogs med depressioner i mer än tjugo år, och under femton av de åren gick jag på receptbelagda mediciner. En bit upp i 30-årsåldern kom jag till en punkt då jag hade prövat på och misslyckats med så många terapiformer från KBT och psykoterapi till yoga och andra alternativa sätt att jag visste att jag behövde hjälp, men inte visste hur jag skulle få det.

Depressionen slog klorna i mig i tonåren. På 1980-talet var depression tabu och folk valde att inte diskutera det, för det var verkligen stigmatiserande. Jag brukade titta på människor som levde sina vardagliga liv och undra för mig själv om de mådde lika dåligt som jag. I mina djupaste svackor gick jag in i ett väldigt kompakt mörker och kände att livet inte längre var värt att leva. Sådana dagar existerade jag bara, tittade på klockan och önskade att dagen skulle ta slut. Jag hade ingen uppfattning om hur man levde på ett sunt och energiskt sätt. Det hände att jag fick självmordstankar. Eftersom jag inte kunde dela med mig av de irrationella tankarna (precis som många andra deprimerade människor ville jag inte vara till besvär för folk i omgivningen) gömde jag mig, undvek kontakt, kände mig avtrubbad, utestängd och förtvivlad över att jag inte kunde ändra på hur jag kände. Om man är deprimerad kan man inte visa för folk att något är fel. Man har inget gips eller bandage.

Två månader innan jag upptäckte transformativ andning försökte jag ta livet av mig med en kombination av tabletter och alkohol och hamnade på sjukhus. Tack och lov var min tid ännu inte inne.

Första gången jag gick till en andningskurs visste jag inte vad jag skulle förvänta mig. Om jag ska försöka beskriva denna första erfarenhet kände jag hur varenda cell i kroppen lösgjordes och släppte taget. Fysiskt, psykiskt och känslomässigt var jag i ett fullkomligt flödestillstånd. Jag grät och svettades och hela min kropp vibrerade. Det var väldigt intensivt! Jag hade ingen kontroll och lät mig bara dras med fullständigt i malströmmen av känslor och fysiska reaktioner.

Efteråt kände jag mig lättare och för första gången på väldigt länge väldigt hoppfull. Jag märkte också att jag var mycket mer klarsynt i mitt beslutsfattande och riktigt positiv. Eftersom jag insåg att jag hade blivit introducerat till något väldigt speciellt tänkte jag inte låta det försvinna ur mitt liv.

Jag vill passa på att betona att det här inte hände över en natt. Jag använde andningstekniken jag lärt mig varje dag och hade tät kommunikation med min läkare. Medicinering funkade helt enkelt inte för mig, men för andra är det nödvändigt och man bör alltid konsultera läkare. Ibland gick jag in i mörka perioder och funderade på om jag borde börja med medicinen igen, men jag gjorde aldrig det.

Jag började känna mig hel, nöjd och fysiskt närvarande. Mina tankar blev klarare och känslorna mer balanserade. Andningsövningarna gav mig livet tillbaka. De hjälpte mig att utveckla andra övningar genom att jag blev mer närvarande under yogan och gjorde mig av med mina ofta destruktiva tankegångar under meditationen. Efter att ha lidit av ångest och kronisk depression i många år upptäckte jag den läkande kraften i andningen. Erfarenheterna har gett mig förståelse och empati för andra, och belöningen dagligen är min fortsatta resa och att jag får bevittna livsförändrande transformationer varje dag med mina klienter genom andningsövningarna.

F: Hur mycket tror du vi underskattar kraften som finns i andningen?

R: Vi underskattar andningen totalt. Jag häpnar gång på gång över kraften i den. Vi kan läka oss själva på så många olika plan bara genom att anknyta till andningen. Jag har sett oändligt många underbara exempel på hur människor äntligen har släppt taget om sin fysiska och känslomässiga smärta, och magin som det medför kan ofta vara en djup och andlig anknytning till det som personen i fråga finner. Vi söker allihop på ett eller annat sätt inre frid, och för mig är det här en genväg dit. Alla har olika trosuppfattningar – vare sig det har med religion, gudomlig anknytning, universum, jaget eller naturen att göra – och vår andning kan hjälpa oss att fördjupa anknytningen till den. Bra andning hjälper oss att bli mer självsäkra och släppa taget om gamla trossystem och negativa tankemönster som inte längre gör någon nytta för oss. Att släppa taget om gamla historier och förflutna dramer som man hållit fast vid undermedvetet ger oss ett känslomässigt djup. Och som om det inte var nog kan andningen dessutom ge förnyad sexuell energi, djupare kreativt uttryck, bättre sömnvanor och lägre blodtryck.

Kvaliteten på andningen bidrar till att hjärnan slappnar av och ökar förmågan att fokusera, koncentrera sig, lära in och memorera saker. Hjärnan behöver en hel del syre för att fungera, och andningsövningarna hjälper oss att uppnå klarhet, känna oss väl förankrade och vara produktiva. De mildrar också stress, depressioner och negativa tankebanor. Om vi andas ordentligt kan det hjälpa oss att övervinna beteendemönster kopplade till beroende och ätstörningar och väcka kreativitet och passion.

Lite statistik: vi andas in och ut ungefär 20.000 gånger per dag, men de flesta ägnar väldigt lite uppmärksamhet åt hur vi andas eller hur djupt det påverkar oss. I vår alltmer krävande och komplexa värld är det väldigt få som är medvetna om de skadliga effekter som bristfällig andning kan få på vår hälsa och vårt allmänna välbefinnande.

Att hitta en balans mellan arbetsåtaganden, livsstil och familjeliv kan vara utmanande. I dagens samhälle är pressen stor på alla att prestera, och det verkar bara finnas ett tempo som gäller i livet – snabbt. I den moderna tiden är vi bundna vid våra telefoner, bärbara datorer och läsplattor. I en värld där folk är mer sammanlänkade än någonsin genom internet och sociala medier känner sig folk mer ensamma och avskurna från varandra.

Mönstret ser ut ungefär så här: livet händer, vi har flera parallella projekt, inlämningar att hålla och vissa situationer som sätter oss under press. Följaktligen bränner vi mer energi än vi behöver bara för att sköta våra åtaganden. Stimulering, aktiviteter och krav finns överallt omkring oss. Vi sitter på ett skenande tåg och våra förpliktelser, åtaganden och bekymmer hindrar oss från att känna lugn och leva för stunden.

Ibland glömmer vi bokstavligen bort att andas. Vi kommer på oss själva med att tänka: ›Jag är så stressad att jag inte kan tänka‹, eller så är det spänt i bröstet och vi känner att vi ›behöver bara lite utrymme att andas‹. Det är här medveten andning kommer in i bilden som en effektiv metod för stressminskning.

Hur vi andas är en indikation på hur vi känner inför livet. Våra andningsmönster korrelerar till varenda känsla, tanke och erfarenhet. Tänk på hur fri och lätt andningen känns när vi är glada och avslappnade. När vi är ledsna och deprimerade andas vi däremot ytligt. När vi är arga eller rädda förändras också vårt andningsmönster och kroppskemin reagerar och går till handling.

De här andningsteknikerna kan jämföras med att gå till gymmet eller bilbesiktningen. Vi behöver visa samma omsorg om våra kroppar som vi gör om ett fordon för att den ska fungera felfritt, och på samma sätt återställer vi och finjusterar systemen för våra hjärnor och kroppar med hjälp av andningen.

F: Under övningarna med dig har jag känt en enorm befrielse när energi och känslor runnit ur mig. Exakt hur fungerar tekniken?

R: Andningsövningar handlar om att känna allting snarare än att överanalysera, och det kan vara obekvämt – men samtidigt befriande och förlösande. Känslor är kort och gott energi i rörelse. Ofta undertrycker vi och hejdar våra känslor och vi håller fast vid dem eller trycker ner dem tills de kommer upp igen. Tyngre känslor som sorg och ilska kan störa våra liv när de dröjer sig kvar hos oss. Vi bevarar till exempel undanträngda känslor i käken, och en del gnisslar tänder om nätterna. Andra känner känslorna i magen, till exempel rädsla eller fjärilar, vilket kan störa matsmältningen och leda till besvär som irritabel tarm. Vi bär på massor av spänningar i axlarna och kroppen vilket kan vara förödande för hjärnan. Vår kropp har en medfödd intelligens och signalerar ständigt till oss för att informera om när något händer, även om vi ofta missar signalerna.

Tankar kan vara precis lika skadliga som en del saker vi äter, och andningen hjälper oss att bli av med gifterna genom vår utandning. När vi kommer i kontakt med vår andning skapar vi en förbindelse som kan ge tillgång till den där lägre, tätare energin och lyfta upp vibrationerna så att vi kan integrera dem.

F: Hur kan vi alla använda andningen i vardagen för att förbättra vårt allmänna välbefinnande?

R: Ju mer vi uppmärksammar rytmen i vår in- och utandning, desto bättre förstår vi våra mönster. Bara att vara medveten om andningen kan vara till hjälp i vardagen, när vi är hemma, ute och går, ser på TV, lagar mat, åker med lokaltrafiken, ligger i badet eller är på jobbet. Idealiskt sett kan en övning som vi skapar dagligen göra stor skillnad, även om den bara varar i en eller två minuter per dag. (Om vi sätter press på oss själva att ägna en timme åt en meditationsövning om dagen kan det kännas som en tråkig hushållssyssla eller verka orealistiskt, så att vi ger upp innan vi ens har börjat!) Vi kan göra det enkelt för oss genom att promenera och använda tiden till att meditera för varje steg vi tar, enbart genom att vara medvetna om vår andning. Att springa, göra olika andningsövningar och simma ser jag som min meditation. Det finns inga regler och det handlar om att hitta det som funkar bäst för en själv.

F: När vi blir stressade eller ängsliga verkar det som om andningen är det första som förändras. Hur kan vi bli mer medvetna och i fas med vår andning och hur kan det göra oss mer stabila?

R: Stress kan vara något positivt, det kan hålla oss alerta och redo att undvika faror. Det hjälper oss att få saker gjorda och blir negativt först när vi ställs inför den ena utmaningen efter den andra utan paus eller avkoppling däremellan. Då leder stressen till att vi överanstränger oss, och stressrelaterade spänningar börjar byggas upp.

Ofta när vi känner oss stressade eller ängsliga höjs andningsfrekvensen och vi andas mer i brösttrakten. Vi kan känna olika sensationer i kroppen eller så börjar vi känna oss varma och uppjagade. Försök att observera dina känslor och lägga märke till var andningen sker. Ta några djupa diafragmatiska andetag ner i magen. Andas in genom näsan och ut genom munnen med en kort paus emellan. Vidga magen när du andas in och krymp den igen när du andas ut. Det kommer att hjälpa dig att hålla bättre fokus och känna dig bättre förankrad och ta dig tillbaka till stunden.

NÅGRA ANDNINGSÖVNINGAR

AV REBECCA DENNIS

1) FÖR ATT LÄTTA UPP OCH LUGNA TANKARNA

- Sitt eller ligg ner på en bekväm, lugn plats där du inte blir störd.
- Blunda och se till att axlar och käke slappnar av och att ryggraden är rak.
- Andas ut länge och djupt genom munnen.
- Stäng munnen och andas in djupt genom näsan, styr andetaget långt ner i magen – föreställ dig under tiden att du fyller en ballong med luft i ditt inre.
- Andas försiktigt ut genom munnen – föreställ dig under tiden att ballongen försiktigt töms på luft.
- Lägg märke till eventuella förnimmelser som uppstår i kroppen – notera dem och låt sedan uppmärksamheten stilla återgå till andningen.
- Var medveten om dina tankar och försök inte undertrycka dem, utan lägg dem bara varsamt åt sidan och återgå till in- och ut-andningen.
- Föreställ dig hur andningen får hjärnan och alla kroppsfunktioner att lugnas och slappna av, och låt den frigöra alla spänningar medan du andas ut.
- Försök göra detta i en kvart och lägg märke till hur annorlunda din dag blir.

2) ÄNGSLIG VÄCKARKLOCKA

Vaknat tidigt igen? Klockan är fyra på morgonen och du är klarvaken, listor far genom huvudet och du kan inte somna om. Försök med denna enkla men effektiva metod att återfå känslan av lugn. Det funkar verkligen.

Andas in genom näsan i fyra sekunder, håll andan i sju sekunder och andas sedan ut genom munnen i åtta sekunder. Det hjälper oss att ta oss ut ur våra tankar, sakta ner pulsen och aktivera det parasympatiska nervsystemet för att nå ett avslappnat tillstånd.

3) EN ANDNINGSÖVNING FÖR ER MED MEJLÖVERFLÖD

Du öppnar inkorgen och hundra mejl väntar. Var ska du börja? Pröva på den här övningen för att centrera och balansera tankarna.

Blunda. Tryck in högra näsborren med tummen, andas ut genom den vänstra och räkna till åtta. Andas in genom vänstra näsborren och håll kvar tummen medan du räknar till åtta en gång till. Upprepa proceduren på andra sidan. Fortsätt upp till tio gånger och lägg märke till skillnaden i din andning.

4) EN ÖVNING FÖR ATT SKAPA UTRYMME I HJÄRNAN

»Genom att släppa taget blir allting gjort. Världen erövras av dem som släpper taget. Men för den som försöker och försöker går världen inte att erövra.« Lao Zi

Vi ägnar ofta mycket tid åt våra tankar och ibland uppstår återkommande negativa tankemönster. Tro inte på allt som din hjärna försöker tala om för dig, för ibland är det väldigt destruktivt. Här kommer en väldigt enkel övning som hjälper dig att släppa taget om hjärnans virrvarr och skapa utrymme för klarhet och lugn.

Börja med att göra dig kvitt alla tankar. Vad det än är du behöver göra i dag eller i morgon eller borde ha gjort och kanske inte har hunnit, lämna det därhän. Du kan återkomma till det senare.

- Blunda och sätt dig rak i ryggen.
- Känn marken under dina fötter och sittknölen på sitsen under dig.
- Slappna av i axlarna och ge ifrån dig en djup suck.
- Börja lägga märke till andningen och bli medveten om in- och utandningen.
- Tänk dig att andningen kommer in och ut som en våg.
- Andas in mjukt och djupt genom näsan och ut genom näsan med en kort paus där emellan.
- Led andningen ner i magen medan du andas in, så att du uppmuntrar djup diafragmatisk andning.

- Låt tankarna riktas till andningen, och varje gång du märker att du förlorar dig i tankar igen, se då till att de återgår till andningen.
- Börja rikta fokus och uppmärksamhet på andningens stigande och fallande.
- Låt andningen flöda – tvinga eller pressa den inte. Andas lugnt och fint.
- Utvidga medvetenheten på insidan och släpp taget om utsidan.
- Det finns ingenstans att gå, ingenting att göra, håll dig bara i nuet med din andning.
- Allt är som det bör vara just nu, det finns inget rätt och inget fel.
- Håll dig i nuet med din in- och utandning.
- Lägg märke till eventuella tankar som dyker upp och lägg dem varsamt åt sidan.
- Kliv utanför tankarna och observera dem.
- Uppehåll dig inte vid dem, utan låt dem bara passera som molnen på himlen.
- Andas in och andas ut, släpp taget om allt som du inte längre har nytta av.
- Andas ut och bort eventuella spänningar eller bekymmer.
- Andas in ny energi, positiva känslor och ljus.
- Släpp taget om det som drar dig till framtiden och det som drar dig till det förflutna.
- Fortsätt att gå djupare inom dig själv, utforska och utvidga din medvetenhet för varje andetag.
- Håll dig kvar i den här stunden, som är NU.
- Fortsätt öva på detta i två, tre minuter. Lägg sedan märke till hur din hjärna mår.

Sammanfattning

TA EN PAUS.

GÖR DIG AV MED KÄNSLO-BAGAGE.

...OCH ANDAS!

Lägg märke till dina egna andnings-mönster och hur de förändras när du blir stressad.

Låt dig inte fångas in av dina känslor – släpp ut dem, och släpp sedan taget om dem.

Pröva på en av Rebeccas övningar när du känner dig stressad.

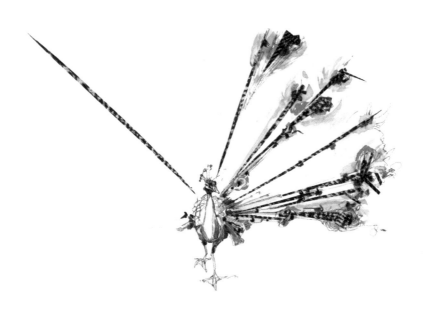

LUGN HJÄRNA

Våra hjärnor frammanar, skapar, oroar sig över och försöker kontrollera
så många områden av vårt liv (några av dessa saker ska jag ta upp i det här
kapitlet, andra kommer att diskuteras i senare kapitel), som alla styr oss
undan från känslan av lugn. Att hitta vår lugna punkt hjälper oss att återställa
den balans vi behöver. Jag brukar föreställa mig lugn som en konkret boll av
välbehag och ljus mitt i sternum – bröstbenet som sträcker sig över revbenen.
Det är en plats inom oss som vi kan få tillgång till när vi är balanserade och
avslappnade, eftersom vi känner lugnet spridas inifrån. Jag tänker mig
lugnet som gult med en skinande aura omkring sig, som när vi fokuserar
på den kan beröra varenda millimeter av våra kroppar eller röra sig långt
bort till andra människor och världens alla vrår. Det är ett mäktigt,
förankrande, djupt rotat tillstånd som vi kan återgå till när som
helst, bara vi minns att det finns där.

FINN DEN OPTIMALA PUNKTEN

Varför glömmer vi att den punkten finns? Livets distraktioner. Vi leds ständigt bort från den optimala punkten eftersom det känns som om så mycket pågår omkring oss. Hushållssysslor som måste avklaras, möten som ska avtalas, folk som ska besökas, arbete som ska slutföras, människor att ta hand om, sociala medier att sluka, saker att köpa, mål, drömmar, önskningar, saker vi vill ha. DISTRAKTIONER. Alla dessa saker som vi tror att vi behöver fokusera på tar oss bort från lugnet. Vad har det med tankarna att göra? Jo, som jag ser det är hjärnan rent geografiskt inte alls långt borta från lugnet – den befinner sig bara en linjallängd ifrån denna utsökta punkt i våra kroppar. Men hjärnan har för vana att ta oss långt, långt bort från den platsen tills det känns som om vi aldrig kommer att få tillgång till den igen. Mina tankar kan ibland slunga i väg mig på intergalaktiska avstånd, till tillstånd där jag känner mig rotlös, kaotisk och långt hemifrån. Den lugna punkten inom oss ÄR vårt hem, men ändå kan våra hjärnor bara på några sekunder skjuta oss med katapult i rakt motsatt riktning.

Om det känns kaotiskt hemma och jag jäktar livet ur mig för barnen och karriären och vet att jag inte avsätter tillräckligt mycket tid till mitt äktenskap eller mina vänner, så känner jag att jag rör mig bort från den där optimala punkten inombords. Mina fötter svävar ovanför marken och jag kämpar för att finna sammanhang i alla invecklade delar av livet som min värld består av. Hjärnan för fram idéer och oroliga tankar som tar mig längre och längre hemifrån. De där små rösterna i mitt huvud säger att jag inte duger och att jag misslyckas i flera områden av mitt liv. Tankar på forna misstag drar snabbt ner mig i känslor av panik och rädsla. Kanske försöker vi stå emot de tankarna och känslorna, men då tar egot ton och ger oss ännu fler orsaker att inte lyssna på våra instinkter och vårt inre lugn.

71

Egot – inte det »uppblåsta egot«, utan det »självutplånande egot« – älskar sådana stunder. Det är det perfekta tillfället för honom att skrika om alla självcentrerade bekymmer som egentligen är ovidkommande. Egot griper tag i sådana svaga punkter och kramar ur all självkärlek eller allt självförtroende som finns, för han vet att du kanske inte är stark nog att stå emot hans ord. Egot verkar helt och hållet från ytan och bryr sig bara om de ytliga sakerna i livet. Hans bränsle är dina bekymmer och tvivel på dig själv, och han piskar upp dem till rasande eldslågor som kommer att flamma tills du hittar vägen tillbaka till ditt lugn. I lugnet kan egot däremot inte andas, så han har inget annat val än att retirera till sin grumliga skuggexistens. Somliga kanske tror att egot mest handlar om skryt och arrogans, men det är så mycket mer komplicerat än så. Även om egot utstrålar övermod och självförtroende härrör det nästan alltid från ett tillstånd av brist och rädsla. Verklig självsäkerhet kommer från kärlek, inte från rädsla, så det är den STORA skillnaden.

ATT VÄLJA RÄTT VÄG

Så hur kan vi vända på kompassen i sådana lägen och styra tillbaka till tillståndet av förankrad sorglöshet? Till att börja med måste du inse att du kan göra det. Det finns inga undantag. Det tar lite längre tid för en del av oss – för somliga kan det vara svårare att släppa taget om invanda negativa mönster – men vi kan alla komma dit om vi verkligen vill. Många älskar dramatiken på lugnlösa mentala platser eftersom det känns bekvämt och beprövat. Det kan helt enkelt vara det man är van vid, så det känns som en väldigt stor grej att lämna det bakom sig. Det är ett personligt beslut att se livet på ett nytt sätt och ge sig på nya sätt att tänka. Kom bara ihåg att det är DITT val. Och om du är redo, gör det bara.

Det finns många alternativ att välja mellan om du är sugen på att hitta vägen tillbaka till lugnet, men några är mer kortlivade än andra och det finns inga garantier för var du hamnar efteråt. Om vi känner oss stressade och exempelvis väljer en flaska vin för att dämpa de vilda tankarna och oron är sannolikheten stor att vi kommer ner från den förhöjda känslan av stress, men resultatet blir knappast varaktigt. Effekten av alkoholen avtar och vi hamnar där vi var från början, kanske med en bakfylla på köpet! Vi känner allihop till våra svagheter och hur vi försöker tackla dem, och det sker på olika sätt för var och en, så vi måste försöka undvika sådana frestelser när vi känner oss särskilt långt bort från lugnet och söka nya vägar – stigarna som leder oss direkt tillbaka till den där varma bollen av ljus och känslan av förankring, men på ett mer varaktigt, varsamt vis.

ATT ÖVERLEVA ETT TRAUMA

Någonting som jag också skulle vilja tala om i den här boken är effekterna av trauma och hur de kan överrösta lugnet. När traumat slår till är det ofta chockerande, överväldigande och får tyvärr varaktiga effekter. Nu talar jag inte om att missa ett flyg eller att skrapa upp lacken på bilen mot en husvägg, utan om livsförändrande händelser som ger blessyrer långt in under huden. Ett trauma kan komma i så många olika former, men de mentala ärr som blir kvar är vanligtvis ganska likartade.

Jag har själv behövt komma upp till ytan efter trauman i mitt eget liv. Tiden har hjälpt mig att läka och komma tillbaka på fötter, så att jag har kunnat lämna smärta, stress och upprörande känslor bakom mig. Veckor och månader av rytmisk rörelse framåt och stöd av fantastiska vänner och familjemedlemmar har hjälpt jättemycket, men det har inte löst allt. När man har varit med om något trauma-

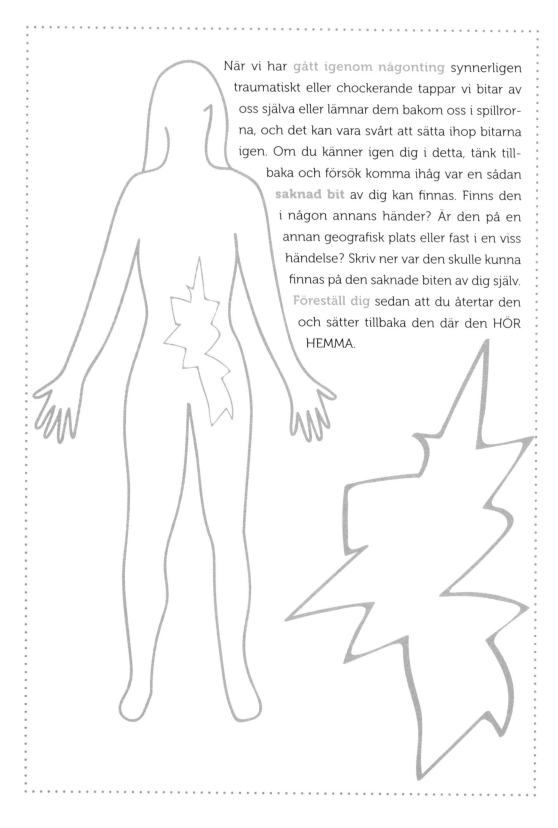

När vi har gått igenom någonting synnerligen traumatiskt eller chockerande tappar vi bitar av oss själva eller lämnar dem bakom oss i spillrorna, och det kan vara svårt att sätta ihop bitarna igen. Om du känner igen dig i detta, tänk tillbaka och försök komma ihåg var en sådan saknad bit av dig kan finnas. Finns den i någon annans händer? Är den på en annan geografisk plats eller fast i en viss händelse? Skriv ner var den skulle kunna finnas på den saknade biten av dig själv. Föreställ dig sedan att du återtar den och sätter tillbaka den där den HÖR HEMMA.

tiskt kan man fortfarande drabbas av stunder och ögonblickliga påminnelser som på en nanosekund kastar en tillbaka till smärtans ursprung. Om man har varit med om en allvarlig bilolycka där en gul Mini var inblandad kan man till exempel rysa varje gång man ser en sådan bil. Om man plötsligt mist någon man älskar utan förvarning kan man slungas tillbaka till det ögonblicket igen bara någon nämner personens namn eller om man känner doften av den personens parfym. Även om vi lyckas gå vidare och leva i nuet är det som om lite av muskelminnet ändå kan behöva bearbetas för att man ska kunna släppa taget ytterligare.

Jag har en underbar vän vid namn Yvonne Williams, en terapeut som tar emot många som lider av posttraumatiskt stressyndrom. I ett intressant samtal liknade Yvonne trauma vid ett krossat glas. Vår kropp och själ slås sönder i pyttesmå fragment när vi går igenom sådana situationer och vår uppgift efter det blir att sätta ihop oss själva igen. Det kan hända att vi lyckas med att bygga upp oss igen, men att det ändå är någon liten skärva som ligger kvar på golvet där vårt trauma ägde rum.

Yvonne bad mig visualisera var det där lilla fragmentet av mig skulle kunna vara. Jag beskrev det med en gång och kände mig sorgsen. Hon bad mig visualisera att jag gick till skådeplatsen för att plocka upp det. Det var en riktigt emotionell upplevelse: jag såg mig själv gå fram till den där lilla biten av mig själv och plocka upp den, likt ett litet barn väntande vid grinden till skolan. Jag höll den lilla biten nära intill mig och det kommer jag att fortsätta göra, för det lugnar mig oerhört och hjälper mig att läka ordentligt. Om jag går igenom en jobbig period eller känner pressen från mitt förflutna komma ifatt vet jag nu var jag ska leta efter den saknade biten och hur jag ska komma på fötter igen. Denna enkla visualisering är ett väldigt effektivt verktyg om du har varit om vad som helst som kan vara traumatiskt.

F: Hej Yvonne, exakt vad är posttraumatiskt stressyndrom?

Y: PTSD är minnen av stressfyllda händelser eller trauman. Det är en komplex störning som påverkar personer på varierande sätt. Det finns så många olika omständigheter som kan framkalla störningen, och det är aldrig en identisk process. Somliga kan ha få symtom, andra hela varierande uppsättningar av oroande reaktioner. Men det är behandlingsbart och det finns många känsliga och skickliga tillämpningar som kan vara till enorm hjälp.

F: Vad ger PTSD för symtom?

Y: Symtomen på PTSD visar sig på olika sätt. Man kan återuppleva den traumatiska händelsen, få tillbakablickar och mardrömmar, men väldiga humörskiftningar (ilska, rädsla, retlighet), gråt, fysisk obalans, muskelvärk och fysisk svaghet är inte ovanligt.

På det fysiska planet påverkas nervsystemet kraftigt – man går in i ›kamp eller flykt‹-läge. Rädslan kan faktiskt paralysera en, och ibland sker en regression till ett ›inre barn‹-jag – då man känner sig totalt hjälplös och rädd och inte har någon kontroll. Hjärnan rusar fram för att försöka finna en lösning, så tankegångarna kan bli något grumliga, kaotiska och förvirrande, vilket förstås kan förhöja känslan av trauma, och risken finns att man ›fastnar‹ i erfarenheten på nytt.

F: Hur kan det påverka oss bortsett från det fysiska?

Y: Det kan ske något som jag kallar för ›själsförlust‹. En fragmentering av själen – eller vad man nu vill kalla sitt inre samvete. Individen kan känna sig väldigt vilsen efter traumat. Tränade yrkesmänniskor och terapeuter kan bidra till återhämtningen efter denna fragmentering, så att de som känner att de har ›hoppat ur‹ sin kropp kan komma tillbaka till den genom ›sensitiv läkning‹, som vibrationer och positiv energi.

F: Hur mycket av PTSD handlar om kognitivt minne?
Y: Hjärnan är ett kraftfullt verktyg och minnen av ett trauma kan utlösas av vilket av sinnena som helst. Tankeprocesser kan avhjälpas och botas så att de blir återställda med KBT (kognitiv beteendeterapi). Det är ett av de mest effektiva verktygen, men det finns också andra – att söka upp lämplig hjälp kan faktiskt också hjälpa och läka i sig, då det blir en del av processen att återta kontrollen.

F: Hur kan folk få hjälp att läka och återhämta sig från trauman och deras varaktiga effekter?
Y: Det finns massor av hjälp för PTSD – det går att söka upp specialutbildade terapeuter som kunnigt arbetar tillsammans med sin klient på en trygg plats som ger utrymme åt förståelse och läkande. Meditation, yoga, själsåterföring, andningsterapi, avslappningstekniker, natur och musik är också väldigt effektiva verktyg för själen och hjärnan.

Guidade visualiseringar kan också vara effektiva om det passar ens läggning, annars kan musik, konstterapi och kreativitet vara lika effektivt. När det gäller musik har jag märkt att solfeggiofrekvenserna med sina specifika vibrationer är väldigt bra för att lugna och läka.

F: Vad skulle du vilja säga till dem som tror att de lider av PTSD men inte är säkra?
Y: PTSD visar sig i många olika omständigheter och medvetenheten om det är mer utbredd numera, vilket innebär att det finns massor av medkännande förståelse för dem som söker hjälp och botemedel. Var inte rädd att be om det.

RESA I FANTASIN

Visualiseringar kan vara till oerhörd hjälp för att läka och gå vidare i livet. Jag har livlig fantasi och kan måla upp bilder av framtida planer med grova, bestämda penseldrag och sprakande färger. Men denna passionerade del av min hjärna kan också påminna om den där vännen från skoltiden som brukade ställa till det för en. Den kan försköna saker, överdriva och leda dig in på fel väg och skapa problem. Det här är en annan oregerlig del av mitt huvud som jag tycker är svår att tämja, för jag vill inte urvattna dess energi eller betydelse när jag använder den för att drömma och skapa. Men jag måste försöka hindra den från att skena i väg fullständigt från mina förankrade, positiva och lugna tankar.

Jag ska ge ett exempel på en av de här resorna i fantasin. Ibland är min man bortrest med jobbet, och med barnen snarkande i närheten går jag till sängs tämligen utmattad och redo för nattsömnen. Då rullar plötsligt min fantasi i gång på allvar och jag får minnesbilder där vartenda fönster i huset är vidöppet. Visserligen vet jag att alla fönster är stängda, men fantasin spelar minnet ett spratt och får mig att tvivla på mitt tidigare agerande. Jag måste stiga upp ur sängen och kontrollera att alla fönster är ordentligt stängda. Sedan kryper jag tillbaka ner i sängen, och genast gör min fantasi mig påmind om ugnen och all mat som jag har lagat den dagen. Jag minns tydligt att jag har vridit ner alla spisplattor, men nu har fantasin gripit tag i paniken och får alla minnen att grumlas när det gäller hur och när jag lagade mat senast. Det är bäst att jag går och kollar. Detta pågår ett tag och vanligtvis slutar det med att jag går och lägger mig med en lite konstig och orolig känsla. Det enda som kan lugna mig i de situationerna är visualisering. Jag föreställer mig en gigantisk ängel med väldiga vita vingar som sitter uppe på vårt tak. Vingarna draperar husets sidor och dess milda, lugna leende tittar ner på oss där vi sover under den. Om jag verkligen fokuserar på den bilden mjuknar min fantasi och slutar skena i väg och till sist kan jag få sova lite.

Andra gånger övertygar min fantasi de mer förankrade delarna av min hjärna att jag är allvarligt sjuk. Jag får panik över att jag kan ha en dödlig sjukdom som kommer att ta kål på mig före årets slut. Jag får andnöd och blir fysiskt utmattad av fantasiexplosionen, som inte direkt främjar hälsan till att börja med. Återigen försöker jag då visualisera vitt ljus som strålar ur min kropp och värme överallt kring huden. Jag försöker föra tankarna tillbaka till tacksamhet och fysiskt behag tills fantasin lugnar ner sig och hejdar den rena paniken.

Visualisering kan vara till väldigt stor hjälp i sådana mentalt kaotiska situationer och ganska snabbt hjälpa oss tillbaka till lugnet. Ibland kan paniken kännas väldigt avskild, som om man lämnat den fysiska kroppen helt och hållet. Att rota sig i sitt fysiska jag och känna sig väl förankrad är väldigt viktigt i sådana situationer. Det låter nästan för enkelt, men det funkar för mig. Känner du någonsin att du får panik, blir orolig eller stressad, ge det en chans. Och om just de här visualiseringarna inte fungerar för dig, välj din egen berättelse. Det kan handla om att du föreställer sig en stilla damm i ditt inre som jämnas ut på ytan likt en glasskiva, helt orörlig och belägen djupt inombords, eller så kanske du föreställer dig en hand som varsamt pressar ner dina axlar från öronen och håller dig lugn och stilla. Vad det än är, måla upp en livlig bild och tro på den bildens kraft.

KANALISERA KRAFTEN
I DINA TANKAR

Medan vi ändå är inne på hur mäktiga våra tankar är, så kanske du har varit med om en situation där någonting verkligen behövde hända? Du kanske var sen till jobbet och såg hur bussen började lämna hållplatsen – din allra sista chans att komma till kontoret i tid. Någonstans djupt inombords var det en röst som sa: »DU KAN HINNA MED DEN BUSSEN, SPRING! SPRING SOM USAIN BOLT OCH HINN MED BUSSEN!«, och så klarade du det, faktiskt helt utan problem.

Kanske har du behövt lyfta någonting hemskt tungt och inte haft någon som hjälpt dig. Då gav dina tankar dig tron att du kunde greja det, och på något sätt gav det dig den där sista styrkan som behövdes.

Kanske har du sprungit ett maraton och känt med fem kilometer kvar hur benen vikt sig under dig. Kanske har hjärnan då klivit in och sagt: »KOM IGEN! VI GREJAR DET HÄR! INTE MYCKET KVAR NU!«, och gett dig tillräckligt mycket energi under den sista pärsen.

För mig handlade det om att skriva en bok. Jag var inte säker på att jag skulle klara det eller att någon skulle läsa den, men min hjärna sa milt till mig: »Du klarar det, fortsätt skriva bara. Känn inte att folk har förutfattade meningar nu, utan skriv, bara skriv.« Så jag gjorde det. Min hjärna gav mig tillåtelse att lugna de där negativa tankarna och jag kunde åsidosätta den lilla djävulen på min axel. De där negativa rösterna orsakar onödig stress, för de pratar bara om vad som SKULLE KUNNA hända, inte om vad som faktiskt händer. Gräver vi djupare kan vi finna vårt inre självförtroende och verka med lugna, realistiska tankar. Jag är så glad att jag lyssnade på magkänslan och inte på hjärnan då, för resultatet var *Glad*, en bok som var en ren glädje för mig att skriva, och jag får höra från så många av er att ni också har haft glädje av den.

Så se till att få med er hjärnan och sträck er efter de där orden som uppmuntrar och hejar på er längs hela vägen. Ignorera de negativa tankarna och »tänk om«-fraserna och lyssna i stället på de positiva orden som kommer från ditt inre lugn! Inse skillnaden så kan du gå långt.

SLÄPP TAGET

Och så finns det en del andra relevanta saker som vi kan fokusera på och minnas. Ord som för en del av oss är så svåra att ta fasta på och ibland känns irriterande att höra från andra: »Släpp taget.«

Ibland känner jag mig så nervös och oroar mig för att om jag slutar tänka och planera så kommer hela min värld att rasa samman. Tänk om jag glömmer den där enda saken jag behöver för att min dag ska flyta på jämnt och fint. Tänk om jag inte spånar på mitt nya projekt och håller hjärnan aktiv. Tänk om jag inte lär mig någonting nytt i dag. Tänk om jag slutade upp med att intensivt ogilla den där personen som ger mig sådant obehag. Vad skulle egentligen hända om jag helt enkelt slutade upp med det? Gud, så skoningslöst det kan vara där uppe i hjärnan! Det är i sådana lägen vi kan sjunka ner i virvelvinden av kaos och oro igen i stället för att flyta igenom dagarna.

Hur skapar vi egentligen balansen mellan att vara metodisk och engagerad och att ändå kunna stanna upp och njuta av det som pågår omkring oss? Jag vet att jag kan känna mig väldigt fast i hushållssysslor, miljontals nedrafsade listor på papperslappar, scheman för barnen och planer för hela familjen. Jag pressar in så mycket i huvudet att jag glömmer bort att glädjas när planerna faktiskt går i lås. Jag gillar att ha ordning (jag skyller det på att jag är jungfru, eller på min otroligt sammanhållna mor) så ibland tar det överhanden över att faktiskt LEVA. Den sortens beteende leder vanligtvis till att jag blir förbannad, eftersom det var något som inte klaffade, och jag kan få ett utbrott som ett tjurigt litet barn, vilket definitivt inte tar mig till det där välförankrade, lugna läget. Jag vet allt det här, men försätter mig ändå i samma tillstånd av stress och oordning.

Det är i sådana stunder som jag definitivt behöver släppa taget. Livet kommer att skapa hinder, livet kommer att bemöta oss med det oväntade och livet kommer inte att lyssna på våra listor och planer. Visst, skriv de där listorna och rita upp de där personliga kartorna, men var beredd att avvika från dem när livet ger dig möjligheten. När vi går in på ett sticksspår behöver våra hjärnor hålla oss flexibla, öppna och redo för förändringar. Förändringar ska vi tala mer om i kapitlet om det »oväntade« mot slutet av boken.

Att släppa taget kan kännas totalt onaturligt och oerhört destabi-liserande, särskilt om du precis som jag känner dig jäktad och får lite panik när du inte har kontroll. Det är därför du måste förstärka ditt nya bekymmerslösa tillstånd med TILLIT! Om vi fullt ut kan lita på livet och allt det bemöter oss med kan vi släppa taget. Det betyder inte att vi ska tro och förvänta oss att allt är perfekt, utan att vi ska lita på att vi kan lära oss av och acceptera varenda situation som kan uppstå. Kontroll kan få oss att tro på ett särskilt utfall, vilket ofta kan leda till sorger och besvikelser när det inte inträffar. Även om jag vet spelreglerna försöker jag desperat leva efter den tanken. Tillit är vägen tillbaka till lugn!

EXPERIMENT MED MEDITATION

Ett väldigt självklart sätt att lugna ner den hektiska hjärnan är att meditera. Jag använder mig av denna beprövade metod till och från och lovar mig själv ständigt att DETTA KOMMER ATT BLI ÅRET DÅ JAG MEDITERAR MER. Även om du inte tror att meditation är din grej, ge det i alla fall en chans. Att meditera behöver inte handla om att sitta med benen i kors och försöka nollställa tankarna, utan idén är egentligen att bara finna lite lugn och få hjärnan att tystna. Ibland upprepar jag ett mantra i huvudet medan jag mediterar så att jag har en enda enkel sak att fokusera på, vilket hjälper mig att rensa alla andra tankar som virvlar runt i huvudet. Mitt mantra lyder ungefär så här: »JAG ÄR TILLRÄCKLIGT BRA. JAG DUGER.«

Att fokusera på de orden ger mig en chans att fly undan fyrverkeriet av tankar i huvudet och ger mig en välbehövlig respit i den galna värld vi lever i, om så bara i fem minuter innan jag går och lägger mig. Jag upprepar dem om och om igen i några minuter tills varenda millimeter av mig tror på dem, sedan somnar jag. Jag lyssnar ofta på guidade meditationer online. Det finns många att välja på, så om jag känner mig dåsig och vet att jag ska jobba till sent på kvällen kanske jag skriver »meditation för vila« i sökmotorn. Och om jag är slutkörd och känner hur kroppen skriker av trötthet kanske jag skriver »meditation för återhämtning«. Sedan kommer jag in i stämningen, koncentrerar mig på orden och låter hjärnan fokusera på dem. Alla andra tankar, orosmoln och bekymmer skingras då till förmån för positiva tankar och lugn.

En annan form av meditation är att försöka bannlysa alla tankar under en längre period. Det tycker jag är rätt svårt, för min hjärna är som en

83

vildhund som vill bryta mot alla regler som påtvingas den. Det är en av orsakerna till att jag VERKLIGEN behöver lägga mer tid på meditation – det blir helt klart enklare att komma in i och kommer att kännas mer naturligt ju mer man gör det. Meditationsövningar kan, även om de är oregelbundna, fungera som en liten spabehandling för hjärnan. En chans att stanna upp, ladda om och få andrum och klarhet. Ibland förhandlar jag med min egen hjärna och påminner den om att om den bara lyder i tio minuter och håller sig fri från tankar så kanske den ska bjudas på en ny spännande idé eller en känsla av klarhet som den aldrig har upplevt förut. Återigen är min hjärna som en liten hundvalp, som behöver den motivationen och den strukturen.

Om du aldrig har provat på det och tror att det skulle kunna försätta dig i ett lugnare tillstånd, gör i så fall kortare meditationsövningar till att börja med. Gå till ditt favoritrum hemma och dämpa belysningen, eller släck den helt och tänd ett levande ljus. Att göra rummet så mysigt och atmosfäriskt som möjligt hjälper alltid för att komma in i stämningen. Sätt dig bekvämt i en stol med alla lemmar avslappnade och utan kontakt med varandra. Jag föredrar att ligga ner, ungefär som i slutet av ett yogapass, på en matta eller i min säng, med ryggen platt mot marken och armarna längs sidorna. Så fort du känner dig bekväm behöver du bara sluta ögonen, slappna av och låta tankarna flyta i väg. Först kommer tankarna att rulla in som forsande vågor. »AAAH, jag har inte hängt upp tvätten… Jag kanske ska ha mina nya byxor på mig i morgon… Ska jag laga mat i kväll eller köpa hämtmat?« Låt de tankarna bara rulla in, och låt dem sedan tona ut lika snabbt som de dök upp. Föreställ dig dem kanske som att de svävar i väg i bubblor – och så kan de komma tillbaka till dig vid en lite mer lämplig tidpunkt.

Det är ett bra sätt att komma in i meditationen, även om du då ägnar ungefär tio minuter åt att bara slå bort tankar. Den här tekniken blir smidigare och snabbare ju mer du använder dig av den, så när tankarna dyker upp viker de undan och lämnar efter sig större, bredare luckor av ingenting. Du kan också visualisera något som berör dig. Jag ser ofta ett stort öga mellan punkterna där mina ögon vilar när jag blundar. Jag fokuserar på det ögat och låter färgerna förändras och formerna förvandlas. Ju mer jag koncentrerar mig på den bilden, desto färre tankar bryter sig in. Gör bara det som känns rätt för dig. Det är ingen tävling eller kapplöpning om att behärska tekniken. Även om du bara klarar av det i några minuter då och då, så är det en lysande början. Kanske känner du dig nervös eller uttråkad första gången du försöker, men det är bara din hjärna som vill tala om för dig att det är en onödig hobby. Den gillar inte att bli tystad, så den kommer att försöka med alla möjliga medel att distrahera och desarmera dig och dina lugna ansträngningar. Minns i de stunderna hur mycket alla andra delar av kroppen skriker efter denna tystnad – de har bara inte en röst som kan formulera det lika vältaligt. Hjärnan och dess tjatter kommer att höras mot tystnaden, men ju mer du gör det, desto mer går hjärnan med på meditationen och inser att den behöver ta en paus.

Ge det en chans och se vad som funkar för dig, skörda sedan frukterna av en klar och lugnare hjärna.

85

Att meditera kan ibland kännas hopplöst. Vi har inte tillräcklig koncentration, lust och fokus för att ta oss igenom det. Jag brukar alltid tycka att visualiseringar hjälper mig jättemycket, och jag försöker föreställa mig ett öga när jag sluter ögonen så att jag kan koncentrera mig på något och använder det sedan för att komma in i bubblan. Färglägg ögat på den här sidan och använd det sedan till att fokusera på om du känner att du behöver en stund för att koppla bort allt eller meditera.

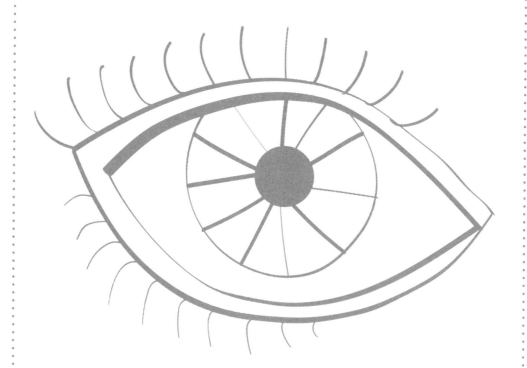

KÄNSLOREGNBÅGAR

Alla har vi olika inställningar på våra moralkompasser och lutar oss mer bestämt åt vissa ämnen eller trosföreställningar än åt andra, vilket visar att mycket av det vi lidelsefullt anser vara rätt eller fel bara är vår egen unika vision av världen. Att vi känner oss fria inom ramarna för våra egna uppfattningar och dessutom förstår våra egna emotionella djup är avgörande för att hjälpa oss med på resan mot lugnet. Exempelvis kanske du blir väldigt stressad när du tror att du har misslyckats på jobbet. Vi har stämplat misslyckande eller att inte göra sitt bästa som »fel«. Jaha, men vem bestämde den regeln och varför måste du tro på den? Det finns inga garantier för att du genom att vara bäst på något kommer att känna dig lyckligare, lugnare eller mer avslappnad i din inställning till livet. Det är samma sak med hur vi stämplar känslor. Vi upprättar en social lista över de känslor som är positiva och de som är negativa, så när vi upplever att en känsla är på den »dåliga« listan har vi en tendens att även lägga till en stor dos stress – stress som orsakats av att vi har känt »fel« känsla.

Förr brukade jag känna att det var någonting negativt med att vara ledsen, och jag gör det ibland fortfarande. Det är jobbigt att medge att man helt enkelt är ledsen, men att det också är okej. Så fort vi minns det blir vi av med den inre stressen av att försöka bekämpa det eller lagra det fysiskt. Jag tycker att det är mycket bättre att låta just den känslan flöda ut på det sätt som känns rätt. Hellre det än att stänga in alltihop, för då kan det komma till uttryck på ett intensivt eller rent av aggressivt sätt vid ett senare tillfälle.

Så om du känner att du är ledsen, gå in för det, lyssna på deppig musik och gråt i köket, ring en vän och säg att du känner dig sårbar, böla i tekoppen en regnig kväll. Släpp ut allt tills den ledsna känslan har rört sig genom varenda cell i kroppen, så att du livas upp och troligen återhämtar dig. Att vara ledsen behöver inte vara en negativ erfarenhet. Det är bara en procedur för att smälta vissa ögonblick i livet. Att gråta är inget tecken på svaghet, utan helt enkelt det snabbaste och mest effektiva sättet att gå igenom känslorna. Jag njuter nästan nu för tiden av att gråta riktigt bra.

Vi måste sluta stämpla känslor som »rätt« eller »fel« och bara känna vad som finns där naturligt. Så kämpa inte emot eller bli stressad av det, utan låt det flöda in och ut igen och ge det den tid och uppmärksamhet det förtjänar. Om vi accepterar hela känsloregistret har vi möjlighet att bearbeta och släppa taget om allt som vi behöver smälta under livets gång. Vet vi om att det är okej att »känna allt« kan vi förhålla oss till varje känslotillstånd med ett inre lugn.

SLÄCK ELDEN

En känsla som jag själv har svårt att förlika mig med är när jag blir arg eller kanske bara lite sur. Det känns svårare att göra sig av med än att vara ledsen. När jag är ledsen kan känslan rinna ut i fysiska tårar och tunga snyftningar som fördriver alltihop på ett skönt sätt. Men ilskan kan ibland kännas lite skrämmande. Återigen tycker jag att det är okej att känna ilska, att bli upphetsad och förbannad över någon viss orättvisa eller öm punkt i livet, men jag tycker inte att det är okej att låta den gå ut över andra. Den är inte deras sak att hantera även om det kanske kan kännas så. Ilska kan yttra sig väldigt explosivt, så det ligger ofta en rejäl kraft bakom det som utlöser den. Använd den energin på ett klokt sätt för att röra dig i rätt riktning. Ilskan finns där för att lära oss om våra egna känslor och hjälpa oss att gå vidare. Om denna ilska inte får utlopp och stannar kvar hos dig länge kommer den med stor sannolikhet att övergå i irritation. Det kommer att kännas som en ständig klåda precis under huden. Jag har helt klart burit på ilska riktad mot vissa

Vi går igenom ett mylller av känslor hela dagarna. De kan få det att kännas som om årstiderna har växlat flera gånger om innan vi går och lägger oss. Skriv ner alla känslor du har känt i dag och den som du känner just nu. Räds inte att vara helt ärlig och stå sedan för det. Acceptera känslan, välkomna den, men inse också att du inte behöver hålla fast vid den alltför länge. Tänk dig att den flödar naturligt in och ut.

personer och situationer i livet, och den brukar förr eller senare ge sig till känna fysiskt. Det kan vara huvudvärk, problem med matsmältningen eller dåligt immunförsvar, men på något sätt kommer ilskan att försöka ta sig ut. Det är alltid bäst att släppa taget om den när du innerst inne vet att du har fått nog – när du vet att den inte tjänar något till.

Jag har fattat många tvivelaktiga beslut när jag har låtit vreden styra. Jag har grälat, sagt onödiga saker och låtit ilskan tala i stället för hjärtat. Jag har långt ifrån lyckats att ta full kontroll över detta, men jag bemödar mig alltid om att STANNA UPP innan jag agerar. Om någon irriterar dig, trampar på en öm tå eller hetsar upp dig kanske du känner ett trängande behov att säga något rakt ut. Du fylls med en flodvåg av energi som behöver släppas lös. Hjärtat skenar, kinderna rodnar och du gormar och skriker om hur orättvist allting är. I sådana situationer får jag genast panik och tänker att om jag inte får säga min mening kommer ännu fler gränser att överskridas och ännu fler orättvisor drabba mig. I dessa vulkaniska stunder tror jag att mina ord kan besegra motståndet i ett enda slag.

Slutar det någonsin på ett bra sätt? Inte för mig! Jag ångrar alltid hur jag har betett mig och önskar att jag hade väntat med att agera. Numera strävar jag alltid efter att inte göra något förrän jag känner mig lugn. Det tog lång tid för mig att inse att jag måste göra så, men det var värt all väntan – även om jag fortfarande måste kämpa stenhårt med det!

Om du anser att du blivit orättvist behandlad men ännu inte är redo att säga ifrån, försök hjälpa dig själv genom att hjälpa andra som du tror kan ha varit med om något liknande. Den handlingen kommer att överföra den latenta vreden inom dig till en kraftfull energi som kan göra riktigt gott. Du skulle också kunna göra någonting fysiskt för att hjälpa känslan på traven, som vi pratade om i kapitlet om kroppen.

FINN LÄRDOMEN

Det är också helt okej att tappa modet. Det är en känsla som jag har blivit vän med genom åren. Jag har lärt mig att den oftast betyder att jag bör stanna upp och se mig mer noggrant omkring. I de stunderna behöver jag inventera vad som tynger mig – eller rättare sagt vad jag låter tynga mig. Om vi tar ansvar för vad vi låter påverka oss kan det ibland göra halva jobbet. När andra försöker trycka ner oss kan vi tappa modet. Vi tar till oss deras negativa energi eller börjar tro på andras osanningar om oss själva. Vi glömmer bort de bra sakerna och fokuserar bara på det som folk uppmärksammar oss på.

Luften kan också gå ur oss när vi älskar någon och inte känner oss lika älskade tillbaka. Det är stressande, för vi blir kärlekstörstande och lätt desperata och försöker älska ännu lite mer i hopp om att kärleken ska bli besvarad.

Vi kan tappa modet när vi känner att vi inte har gjort vårt bästa. När vi vet att vi kunde ha sagt någonting snällare, agerat mer kärleksfullt eller bara hållit tyst. Då blir vi självkritiska och plågar oss själva tills all luft gått ur oss.

Jag har varit med om många stunder i min karriär och i mina förhållanden när jag har känt mig totalt modstulen och längst ner på botten och fått syn på en pytteliten ljusglimt. Först känns den känslan som om man blivit påmind om någonting riktigt bra men inte riktigt kan sätta fingret på vad det är. Det är känslan av hopp, och det kan vara en tillräcklig gnista för att jag ska inse att förändring och något nytt är möjligt. Ibland känner jag mig modstulen enbart för att jag tittar för intensivt på alla omkring mig. Min egen historia och version av framgång kanske skiljer sig från andras, och den jämförelsen får mig att tro att jag är mindre värd än folk i min

91

omgivning – ett typexempel på att glaset är halvtomt. Men om jag tar ett steg tillbaka och slutar jämföra mig själv med andra ser jag klart och tydligt att jag inte har misslyckats, utan bara gått en annan väg. Eliminera den stressen genom att minnas att ditt liv och din framgång kommer att se annorlunda ut än alla andras i din närhet.

Att sträva efter att uppfylla andras förväntningar leder aldrig till lugn och fördunklar tankarna om vad du vill med ditt liv. En vän till dig kanske tror att makt är lika med framgång, medan din egen version av framgång bara handlar om att gilla det du håller på med. Andra kanske tror att framgång är detsamma som att vara extremt upptagen, medan du kanske tycker att en bra balans i livet känns som slutmålet för dig. Håll fast vid din egen version av vad framgång innebär, och om du tappar modet bör du använda det som en språngbräda för att finna nya vägar och förändring. När vi känner oss modstulna kan det lära oss både att vi ska sluta jämföra oss själva med andra och att vi ska tänka utanför ramarna. Inget särskilt negativt sinnestillstånd när allt kommer omkring!

OCH GLÖM INTE...

Det är ingen fara om saker och ting går fel ibland. Hur i hela friden skulle vi annars lära oss något? Jag har gjort miljontals misstag – jag skulle på rak arm kunna göra den längsta listan du kan tänka dig över alla bedrövliga beslut jag har fattat, korkade saker jag sagt och tillfällen då jag inte visat mig från min bästa sida. Sånt är livet. Det är verkligheten i att vara människa. Sociala medier och vår förkärlek för att se efter vad alla andra har för sig kanske får dig att tro något annat, men jag kan försäkra

Ofta känns det som om vår stress är större än oss själva. Ta till det här knepet om du behöver lite perspektiv. Skriv en lista över alla saker du oroar dig över i dag i rutorna till vänster. Föreställ dig sedan dig själv om ett år och skriv ner hur de kommer att få dig att känna då. Hur många av dessa saker tror du att du kommer att oroa dig över? Fokusera på att lösa de problemen, men använd denna »tidsmaskinkraft« för att inse att de andra bekymren i det stora hela inte är värda att bry sig om.

TIDSMASKIN

I DAG

OM ETT ÅR

LE INIFRÅN

dig om att det är helt okej att klanta till det ibland. Skulle vi gå genom livet och få till varenda grej perfekt – ha alla rätt på alla tentor, få alla jobb vi söker och bli kvar i underbara förhållanden och vänskapsrelationer för evigt – så skulle vi lära oss så väldigt mycket mindre. Vi skulle inte utvecklas känslomässigt eller få några starka signaler om att pröva något nytt. Självklart känns det fantastiskt när allt går bra, men vi behöver allihop den där balansen för att vi ska kunna uppskatta, lära oss och söka oss vidare till nya jaktmarker.

Misstag kan kännas extra psykiskt påfrestande för att vi såras av andra människors åsikter om dem. Det kan vara extremt plågsamt (tro mig, jag vet hur det känns med det märkliga jobb jag har) och det kan behövas superkrafter för att stänga ute alla högröstade åsikter. Den påfrestningen blir verklig bara om vi tror på vad andra säger. Om vi vet innerst inne att det är okej att göra misstag och att vi inte bör låta dem eller andras åsikter bestämma vilka vi är, så kan vi göra oss av med stressen. För mig är det till stor hjälp att veta att varenda person där ute som fäller sina omdömen om oss OCKSÅ har begått misstag. Förmodligen väljer de att betona dina misstag för att de tror att det kan ta udden av deras egna!

Det är okej att känna sig ledsen, arg och modlös och att känna att man har gjort misstag. Det är hur du bearbetar dessa sinnestillstånd som räknas. Låt känslorna flöda, döm inte ut dig själv för att du känner dem, håll inte fast vid dem i långa perioder och låt dem inte gå ut över andra på ett negativt sätt. Det är okej att känna så som du känner. Tar du emot alla dina varierande tillstånd med öppna armar minskar stressen omedelbart, för då finns inget motstånd inifrån. Då accepterar vi och bearbetar och välkomnar lugnet tillbaka.

Sammanfattning

HITTA DIN OPTIMALA PUNKT.

Ta reda på var lugnet finns i din kropp så att du alltid kan besöka den platsen på nytt.

KÄNN DET DU KÄNNER.

Läxa inte upp dig själv för dina känslor – låt dem komma och gå.

VISUALISERA.

Om du känner dig stressad kan du föreställa dig något som hjälper dig att få tillbaka lugnet.

Observera ♥

HUR SER EN LUGN HJÄRNA UT FÖR DIG?

Skriv ner ett ord eller rita en bild här som sammanfattar det.

LUGN
FAMILJ

Släkten kan ofta vara en paradoxal värld av både lugn och kaos. På en och samma gång kan den vara de våldsamma vågorna på ytan och stillheten på havets botten. Vissa släktingar gör dig lugn bara du hör deras namn, medan andra i ert gäng får musklerna att stelna när du tänker på dem. De omsorgsfulla, lyssnande personerna och de som tänker klara tankar lär sannolikt vara de som du ringer när du har problem eller vänder dig till när ditt liv känns kaotiskt.

LITE OM OSS

I min familj ger mamma mig oerhört mycket styrka och stöd, men hon kan också lätt veckla in sig i rädslor och oro. Hennes kärlek till mig och min bror är stabil och evig, men hennes intensiva känslor kan ibland få henne att tappa besinningen. Jag kan kasta mig i hennes famn när som helst och alltid vara säker på att hennes armar är utsträckta och redo, men jag vet också vilka upplysningar jag ska anförtro henne och vilka jag ska hålla för mig själv. Det är bördan av att vara mamma, vilket jag mycket väl känner till. Tanken på att de man älskar mest i världen ska bli sårade eller känna smärta är nog för att bringa en totalt ur fattningen.

Min pappa får familjepusslet att sitta fint ihop. Han är omdömesgill, verklighetsförankrad och till synes oberörd. Han är inte helt orubblig, men de omständigheter som kan få honom ur balans är ofta små nyanser snarare än katastrofer. Han älskar till exempel (precis som jag) att gå och lägga sig tidigt. Om han är ute och umgås med folk kan han bara tänka sig att vara borta från sin sköna säng en begränsad tid, och om den tiden överskrids blir han nervös. Men när dramatiska händelser uppstår reder han ut alltsammans i lugn och ro. Han lämnar sina egna känslor utanför historien han får höra och håller huvudet kallt, så att han kan ge råd, skingra oron och komma med lite välbehövlig klarsynthet. Allt som allt känner jag mig väldigt lyckligt lottad som har en stark mamma att vända mig till och en så stabil pappa – så länge man får hem honom före tio på kvällen!

Jag har också haft turen att ha ett gäng härliga kusiner, fastrar, mostrar, farbröder och morbröder. Pappas sida av släkten är väldigt avslappnad och bär en aura av lugn omkring sig vart de än går. Det är alltid lättsamt, kul och glad stämning i deras sällskap. För släkten på mammas sida handlar allt om att visa omtänksamhet. Alla på den sidan skulle tycka att det vore olidligt att komma på besök utan att ha med sig åtminstone tre oväntade presenter – krukväxter, kakor i utsmyckade plåtburkar och små kristaller att ha i handväskan. De är de mest generösa och givmilda personer jag har träffat och gulliga utan att det blir puttenuttigt. De är fridfulla människor, men de skulle inte tveka att slänga sig framför en kula för en – med krukväxten i ett fast grepp.

FAMILJEDRAMA

Med största sannolikhet pågår dramer i någon vrå av din släkt. Oavsett om de sker på nära håll eller på avstånd lär deras återverkningar ge eko genom generationerna, väcka frågor och då och då kännas psykiskt påfrestande. Jag har varit med om det några gånger genom åren, och det kan ställa till en hel del oreda. Det är som om familjeträdets rötter rycks upp ur jorden medan generationsskiftet ger sig till känna genom grenarna. Utanför släkten försöker vi nog allihop undvika personer som gör oss stressade, men när vi förenas av blodsband, äktenskap eller sammanslagna familjer är det inte så lätt. Förmodligen innebär det att du kommer att behöva träffa dem ganska ofta genom livet – oavsett om det finns ett geografiskt avstånd eller en gräns är det svårt att klippa banden helt med någon i familjen.

Även om ni har minimal kontakt får du ändå höra skvaller om vad de gjort och blir kanske förbannad över det du får höra från andra. Det går inte att komma undan. Så hur behåller vi lugnet i sådana lägen? Hur ska vi undvika att sugas in i virvelströmmen av dramatik och stress? Hur finner vi lugnet?

Det brukar finnas någon i familjen som vet exakt vilka knappar man ska trycka på. Någon som känner en så väl att han eller hon får kontakt med delar av en som inga andra kommer åt. Om du känner igen dig i detta, skriv vilka knappar den personen oftast trycker på i miniräknaren nedan. Att bli medveten om sina svaga punkter är första steget på vägen att hindra dem från att bli ett problem i framtiden.

Det första jag försöker göra är att ta ett kliv tillbaka. Om dramat inte påverkar oss direkt är det bättre att bara lyssna på historierna, känna känslorna som de drabbar en med naturligt och sedan låta det vara. Om vi vet att vi inte kan göra något åt situationen och att den antagligen bara skulle bli värre om vi själva blandade oss i, då måste vi backa. Det kan vara frestande att låta sig sugas in i ett smaskigt drama eller att riva upp gamla sår, men att bli djupare insyltad slutar sällan särskilt väl. Om det däremot finns bekymmer i familjen som du vet att du KAN avhjälpa, då ska du förstås kliva fram och göra ditt bästa. All stress som sådana stunder för med sig kan mildras något av vetskapen att du bemöter dem med kärlek.

Jag inspireras ständigt av de personer i min släkt som är välbetänkta i varje steg de tar och sprider lugn med ett enkelt leende. Jag försöker ta efter dem när jag hamnar i besvärliga situationer, även om jag av naturen kan ha svårt att hålla snattran. Det har hänt att orden har forsat ur mig utan närmare eftertanke, vilket förstås bara har gjort saken värre. Att agera och uttala sig när man hittat lugnet igen är oftast det bästa alternativet. Även om jag inte alltid kommer ihåg att tillämpa detta själv så jobbar jag på det, och det är värt att öva på.

Ibland måste man bara acceptera att det finns några i släkten som man inte kommer överens med i första taget, och det är okej. Låt provokatörerna provocera, låt de ansvarslösa vara ansvarslösa, låt narcissisterna ha sitt ensidiga perspektiv. Fortsätt bara med din egen historia när du kan och svälj inte betet som vissa lägger ut. Spänningar inom familjen kan ofta vara lite mer intensiva än andra eftersom man bryr sig så mycket. Kärleken sitter djupt, anknytningen är stark och det känns som om man har mycket att förlora.

»LUGNT« FÖRÄLDRASKAP (HA!)

Som mamma är jag en förvirrande kombination av lugn och kaos. Att få barn har rört upp känslor i mig som jag inte visste fanns, för kärleken jag känner är allomfattande och ofta förblindande. Att vara förälder är komplicerat och utmattande samtidigt som det är livsbejakande och berusande. I tjugoårsåldern började jag ha intensiva perioder av barnlängtan och fantiserade ihop vaga bilder av mig och min flock med minst fem barn på picknick i solskenet. Jag föreställde mig att jag skulle vara en supercool, sorglös mamma som aldrig oroade mig eller gjorde något fel vad barnen beträffade.

Klipp till mig i smutsig träningsoverall när jag med desperat tonfall bönar och ber min fyraåring: »SMAKA BARA PÅ EN LITEN BIT BROCCOLI.« Vart tog den kaftanklädda, tillbakalutade glidarmorsan vägen? Tja, hon har aldrig existerat, för i samma sekund som jag födde barn omslöts min plufsiga, postnatala kropp av oro, och oron har gått hand i hand med den intensiva kärleken till mina barn ända sedan dess. Jag vet inte om jag någonsin har träffat en mamma som är stress- eller bekymmersfri. Om du finns där ute, snälla hör av dig till mig och avslöja alla dina hemligheter!

Oron som förälder börjar långt innan barnet ens är fött. Under graviditeten bombarderas man av råd och nostalgiska kommentarer från andra som är svåra att ta in när man har ont i ryggen, eventuellt mår illa (JAG!) och gravidtightsen kliar. Det är den mest spännande tiden någonsin men också totalt bisarrt eftersom allt känns obekant. Här kommer ett råd från mig om du vill behålla lugnet när du är gravid: om folk uppriktigt vill ge praktiska råd om något som har hjälpt dem i början av graviditeten, då kanske du ska ta notis om visdomsorden. Men om det egentligen bara handlar om att någon vill hålla en nostalgisk monolog – nicka, le och glöm. Det kommer ändå inte att vara likadant för dig. Ingen graviditet är den andra lik. Mina två graviditeter var så radikalt olika att jag inte ens skulle kunna ge mig själv råd. Ta en dag i taget och se vad som händer.

Att vara förälder tar fram det allra bästa i en och ibland också det värsta. Men det kan gå hela dagar, ibland hela veckor, då livet med mina barn flyter på jättefint. De äter sina middagar utan att klaga, de badar utan att kivas om samma gummianka och de går och lägger sig efter två sagor som de har hört tusentals gånger. Jag går till sängs och känner mig glad, avslappnad och… ja… LUGN! Det är gyllene och dyrbara tillfällen och antagligen de jag kommer att välja att minnas senare när alla barnen har blivit stora.

MIN »MAMMAORO«

Och så finns det dagar, eller faktiskt hela veckor, då det känns som om jag vadar i sirap. Varenda stund på dagen är en kamp och alla ambitioner att ha iPad-fria middagar och läggningar utan mutor går upp i rök innan man hunnit säga »Greta Gris«. I sådana stunder av totalt kaos brukar jag tappa lugnet. Just nu är jag mitt uppe i föräldraskapets kaotiska höjdpunkt, eftersom båda mina barn är under fyra. Jag tror – och hoppas verkligen att det inte bara är tomt prat – att saker och ting blir lite lugnare med tiden och åldern. För tillfället känns det lite avlägset, men jag försöker komma ihåg det när en tallrik pasta kastas mot mig under middagen. I de stunderna pågår en inre monolog i mig som är lika förvirrande och kaotisk som mina barns beteende. Den börjar med: »Var disciplinerad, annars kommer de aldrig att lära sig. Var konsekvent med budskapet och reglerna du sätter, annars kommer de att förvandlas till monster.«

Efter en halvtimme helt utan framsteg säger min inre mammaröst: »Alltså… du får välja dina strider. Gör livet enklare och ge honom bara den där jäkla marängen. Jag vet att han redan har fått en tårtbit i dag och att maräng består till 99 procent av socker, men kom igen, du växte upp på åttiotalet då detta bara hade varit en av fem maränger för dig den dagen.«

Det är nu det blir förvirrande. Mina inre röster börjar tjafsa emot varandra, vilket lägger ytterligare ett lager kaos till tornadon som redan rasar hemma. Då tappar jag allt – min besinning OCH mitt lugn. De far sin kos. Och det är vanligtvis nu jag förvandlas till en gapig mamma. Det är inte en sida som jag är särskilt förtjust i, men hon finns där. Inte varje dag – ibland kan hon vara frånvarande i månader – men hon lurar absolut under ytan i svaga stunder. Jag försöker verkligen stå emot, men denna inre och yttre kamp känns som om den blir för mycket, och när det späds på med sömnbrist börjar det knaka i fogarna. Det är nog den del av lugnet som jag försöker jobba med mest. Jag tycker att det blir lite enklare med åren, för jag inser att allt bara blir värre om jag skriker och tappar besinningen. Mina barn känner av min stress och beter sig sedan ännu sämre. Men jag försöker komma ihåg att orsaken till att jag känner så intensivt för situationen är att jag älskar dem så mycket. Kärleken blandas upp med frustration och förvirring för att jag vill att de ska ha ett bra liv. Jag vill att de ska äta bra, sova gott, uppföra sig väl och ha kul, så vad som helst som avviker från detta får mig att känna att jag inte har gjort mitt bästa.

105

HEJ TILL... HEIDI

När jag drabbas av ett sådant mammahaveri plockar jag upp telefonen med handen täckt av spagetti och köttfärssås och knackar klumpigt in ett SOS-meddelande till min kära vän Heidi. I de ögonblicken behöver man tröst, igenkänning och ett lugnt lyssnande öra.

Första gången jag träffade Heidi var för sex år sedan, innan jag själv hade barn. Våra män har ett band ihop, så vi var på samma spelning och satt på en full läktare och såg på. Jag hade nyligen färgat håret rosa, var lätt berusad på gin och därför antagligen ganska skränig. Jag är rätt säker på att Heidis första intryck av mig inte var något vidare, men som tur var hade hon överseende med mitt packade jag vid vårt första möte och gav mig en chans till. Vid den tidpunkten var Heidi fyrabarnsmamma och höll på med en film som hon hade skrivit manus till, producerat och regisserat på egen hand. Att säga att jag var mäkta imponerad av hennes energi, arbetsmoral och familjevärderingar vore en underdrift. Under tiden hade jag tillräckliga problem med att kombinera min karriär med att ta hand om två katter.

Med tiden, efter att jag också fick barn, har vår vänskap stärkts och fört med sig en outtalad gemensam syn på livet och hur man skapar balans. Vi älskar att vara mammor åt våra barn bägge två (Heidi fick så småningom även ett femte barn, min bedårande gudson Sonny) men bubblar samtidigt av entusiasm över våra kreativa karriärer. Att kombinera de delarna av våra liv är en ständig utmaning och något vi älskar att diskutera. När jag säger »diskutera« handlar det egentligen oftast om att jag trånar efter hennes kloka råd, men hur som helst har vi en kontinuerlig dialog i ämnet.

Heidi kompletterar sin jordnära livsfilosofi med ett knivskarpt, oavbrutet krea-tivt intellekt. Filmbranschen är inte alltid så lätt att slå sig fram i som kvinna, så hon har tvingats arbeta stenhårt för det hon tror på och för att föra fram sina idéer, samtidigt är hon den mest avslappnade mamma jag har träffat. Jag fattar fortfarande inte riktigt hur hon kan laga mat åt och hålla ordning på fem barn mitt under karriärens höjdpunkt, men på något sätt får hon det att fungera – genom att amma under manusskrivandet, ta mötena efter de komplicerade morgnarna med lämning av fem barn till olika skolor eller att kämpa vidare med sitt oberäkneliga frilansjobb samtidigt som hon vet att hon och hennes man har en stor familj att ta hand om. Hon är den jag alltid vänder mig till för råd om familjen, och hon är alltid den mest förståndiga men också roligaste personen att prata strunt, gnälla på saker eller skämta med. Alla hennes barn råkar också vara ofattbart artiga och väluppfostrade. Första gången äldste sonen Louis hade bott hemma hos mig och min man skrev han ett tackbrev till mig! Så underbart.

Vad Heidi än gör, så gör hon det på rätt sätt. Jag är alltid ivrig att få reda på mer om hennes familjealkemi och personliga fallenhet för livspusslet, så jag såg den här boken som en förevändning att fråga ut henne ytterligare.

F: Du är en av mina mammaförebilder och jag förundras ständigt över hur du lyckas få familjelivet att flyta. Vad kan få dig att tappa lugnet?
H: Jag är rätt lugn nu för tiden, men jag har inte alltid varit det. Jag antar att förändringen skedde när jag valde att bejaka kaoset i stället för att bekämpa det. Det enda som fortfarande kan få mig att tappa lugnet är när andra hindrar mig från att sköta mitt jobb på ett smidigt sätt. Det är så mycket som ska klaffa för att jag ska kunna syssla med det jag gör och samtidigt ta hand om en familj, så om det rubbas kan jag fortfarande bli förbannad. I de stunderna måste jag försöka minnas att det inte går att kontrollera allt hela tiden, och ibland måste man bara känna tillförsikt och släppa taget. En av mina bästa vänner (du) sa en gång till mig: ›Heidi, kom ihåg att grädden stiger alltid upp till toppen‹ – de orden tar jag med mig vart jag än går.

F: Du har fem barn och full fart i karriären. När det känns jobbigt och livets brus gör sig påmint överallt, hur behåller du då lugnet?
H: Jag jobbar fortfarande på det. I min familj har det funnits många hetsporrar genom generationerna. Jag är ju för sjutton släkt med en gangster som tvillingarna

Kray sköt ihjäl för att han inte kunde behålla lugnet. När antingen det yttre eller det inre bruset blir för mycket ger jag mig ut och springer, tar en promenad eller gör yoga – vad som helst som handlar om att röra sig i det fria, helst i sällskap med mina hundar, hjälper alltid med detsamma. Min man är väldigt bra på att påminna mig om vad som är viktigt. Strax efter att vi träffades bestämde sig min bukspottskörtel för att förtära sig själv. På sjukhuset gjorde läkarna en skanning och sa: ›Grattis, du är gravid. Tyvärr måste du göra en omfattande operation med en gång, annars kommer du att dö. Det är väldigt liten chans att ditt barn överlever operationen.‹ Det barnet är sexton i dag.

F: Tycker du att det är viktigt med egentid, då du kan fokusera på att bara vara kvinna i stället för mamma, författare, fru eller vän?
H: Stunderna då jag har känt mig som mest fokuserad på att vara kvinna är när jag varit helt uppslukad av att vara mamma, författare, fru och vän. När jag fick mitt sista barn älskade jag att hänge mig själv fullt ut åt honom och hans bröder och systrar, för jag visste att ingenting var viktigare just då och att allt annat kunde vänta. Det gav mig styrka. Jag tror att kvinnor kan känna att andra åtaganden gör att de inte har råd att ge den tiden, men det är viktigt att komma ihåg att man faktiskt får göra det valet, och när man gör det känns det så bra, för då kan man sluta pussla och bara njuta. Mina väninnor betyder jättemycket för mig när det gäller mitt fokus på att vara kvinna på 2000-talet. Att fixa håret har jag däremot inte tid med just nu, om jag inte behöver gå igenom det med luskammen.

F: Ditt jobb är väldigt kreativt. Behöver du ha ett mentalt lugn för att ge ditt allra bästa?
H: Ja. Om jag är upprörd när jag kommer till en inspelning händer två saker. För det första sprider det sig som en löpeld bland skådespelarna och filmteamet. Regissören börjar gorma och skrika och plötsligt hackar alla på varandra och ingenting blir gjort. För det andra skulle alla tycka att jag var helt knäpp och ingen skulle lyssna på mig. Jag är så tacksam för att jag får göra det jag älskar,

så jag är alltid lugn på inspelningarna eftersom jag är så genuint lycklig över att få vara där.

F: Hur lyckas du ha koll på alla dina barns liv, aktiviteter och behov, och känner du aldrig att det blir för mycket?

H: När man har fem barn från ett till sexton år är den största utmaningen att lägga märke till allas olika behov när de uppstår. Barn berättar inte alltid vad de verkligen behöver, så det gäller att vara uppmärksam. Jag måste kolla mig själv ibland för att vara säker på att jag har umgåtts en stund med var och en varje dag, även om det bara har skett över telefonen om jag inte varit hemma. Enda gången då det verkligen känns som om det blir för mycket är när jag kliver ur badet och måste torka mig med en gästhandduk eftersom barnen har använt alla badhanddukar.

F: Hur finner du lugnet i livets kaos? Är det genom en aktivitet? Ett mentalt tillstånd? En person?

H: Jag skriver manus, låter mig uppslukas av fantasivärldar med fantasipersoner, och jag kan svära på att det är det som gör att jag inte blir galen. Å andra sidan kan det vara det som ligger bakom min galenskap från början, så vi ska nog inte analysera det för mycket! Jag sätter också på musik på hög volym och dansar med barnen. Just nu lär vi oss att dansa som Michael Jackson. Det är väldigt bra terapi.

F: Minns du något särskilt lyckligt ögonblick i ditt liv då allt kändes lugnt och fridfullt?

H: Efter en födelsedagsmiddag i Sardinien med min man, mina barn och några vänner gick vi och badade i solnedgången. Då minns jag att jag verkligen kände mig helt tillfreds. De lugna stunderna är få och ganska glest utspridda, men jag tycker inte att vi behöver bekymra oss så mycket över det. Många gånger kommer våra drivkrafter och det som gör oss till de människor vi är inte ur en känsla av lugn, utan ur totalt kaos.

109

MAMMATVIVEL

Att vara mamma lyfter fram självtvivel på ett väldigt påtagligt sätt, vilket är väldigt utmattande när man redan har vardagslivets kaos att hantera. Man jämför sig med andra, glömmer bort allt bra man gör och fördömer sig själv när saker inte blir som man tänkt sig. Att ta ett steg tillbaka från det som händer och minnas de bra sakerna man har gjort, det hårda arbete man lagt på familjen och kärleken man har i sig, kan ibland vara nog för att återställa lugnet. Inte alltid med en gång, förstås, men det är ingen tvekan om att det hjälper.

Det brukar få mig att antingen ignorera utbrottet som rasar, vilket så småningom gör att det mattas av, eller ha tålamod att sitta ner och prata lite mer lågmält och förstående med barnen för att försöka komma överens. Ibland funkar det och ibland inte, men åtminstone förstår jag att »även detta får sitt slut« och vi kommer att ha en sådan där underbar lugn dag snart igen. Tro mig, jag kämpar med det hela tiden, men att tala uppriktigt om det för att hjälpa varandra tror jag kan få andra föräldrar att känna sig mindre ensamma i sina ansträngningar.

Att vara förälder är ett tillfälle att lära sig massor om sig själv. Jag vet att jag kan få panik när familjen avviker från rutinerna och bli extremt nervös när barnen verkar må dåligt. Jag glömmer att lita på livets gång och behöver påminna mig själv om att låta barnen lära sig om livets upp- och nedgångar utan mitt ständiga beskydd. Det påminner mig i sin tur om hur obehagligt det kan kännas när saker i mitt liv inte blir som jag har föreställt mig. De stunderna är som en stor spegel som hålls upp mot oss, så länge vi väljer att se det så.

Glöm inte att vi dessutom är en av de första generationerna som försöker göra allt. Vi vill vara bästa möjliga föräldrar, bäst på jobbet, vara organiserade och ha koll på allt som händer. Kraven vi ställer på oss själva kan eliminera lugnet ganska omgående och leda till elände. Att komma ihåg att vi inte måste VARA allt är oerhört viktigt om vi över huvud taget vill behålla förståndet.

Ibland kan det vara till hjälp att skriva ner exakt vad du anser att en bra mamma är. Gör en lista över alla specifikationer du anser att en »bra« mamma borde uppfylla, läs igenom dem och inse att du faktiskt gör det mesta av det där! Föräldraskap är kaos, och du kan lära dig att till viss del bli vän med det. Att finna lugn i det är inget måste och kan vara utmanande, men det skulle nog alltid vara bra för vår mentala hälsa!

METOD I GALENSKAPEN

Jag är dessutom styvförälder, vilket jag är väldigt stolt över och tacksam för. Jag har haft tur som fått sådana extremt grymma styvbarn – och väldigt lugna till på köpet. De tillför väldigt lite kaos till sällskapet, vilket jag är ännu mer tacksam för. Min styvdotter är en av de få personerna på jorden som kan ta min son Rex ur ett raseriutbrott som får jorden att skälva. Hon avleder honom då med en löjlig grimas eller en historia och rätt vad det är håller han på att spricka av skratt och har mirakulöst förvandlats tillbaka till en liten ängel igen. Hon har förmågan att pejla in hans humor och våglängd på ett sätt som jag inte alltid lyckas med, eftersom jag ofta kör fast i den pragmatiska sidan av familjelivet.

Det enda kaos som följer av att ha alla fyra barnen i huset är den militäriska disciplin som min man och jag måste upprätthålla om vi vill

Ibland fastnar jag totalt i oro att inte vara bra nog som mamma. Jag har valt att återgå till arbete från och till, vilket medför drivor av skuldkänslor. Jag vet innerst inne att **jag gör mitt bästa**, men ibland behövs någonting mer konkret som påminnelse. Då kommer min hobby att göra listor väl till pass! Jag skriver ner alla saker som jag tycker att **en bra mamma bör vara**. När jag sedan går igenom listan inser jag att det är egenskaper som jag redan har. Vi har en tendens att krångla till det som vi uppfattar att våra roller borde vara, men den här övningen kan bringa lite klarhet. Vilken beteckning du än förknippar mest med dig själv – **mamma, bror, dotter eller vän** – skriv en lista här över de saker som du anser att den personen bör vara. Gå sedan tillbaka och se hur många av beskrivningarna du redan uppfyller!

att allt ska fungera smidigt. Vi bekämpar kaoset med ett enda stort svep av nördig organisation. Vi ser till att minnas helgens idrottsaktiviteter, skjuts till kompisar, påminnelser om läxor, sex korgar med tvätt, förskjutna måltider på grund av olika scheman... och ja, just det, att även ha lite kul under tiden.

Jag går automatiskt in i »organiseringsläge« när det känns som om det blir för mycket. När jag känner att jag har kontroll blir jag genast lugnare, men jag har en förmåga att inte bara låta det ta udden av hotande anarki utan också ta bort det ROLIGA! Alla listor och delegerade order tar död på det roliga inom loppet av några sekunder och livet blir något som genomförs snarare än levs. Det är alltid min man som påminner mig om de fallgroparna och släpar mig tillbaka till de levandes skara. Det finns rum för allt. Att göra listor och få saker organiserade ger mig en känsla av lugn som jag inte kan finna på många andra ställen med en så stor familj som vår, men jag måste få till balansen rätt och inte förvandlas till fru Trist från Listlandet. Återigen något jag jobbar på.

Kaos och lugn ser väldigt olika ut för oss alla när det gäller familjen. Oavsett hur fullt eller avslappnat ditt hushåll är lär det förekomma påfrestningar och kaos, och du kommer att behöva utveckla dina egna metoder för att avhjälpa det.

De senaste sex och ett halvt åren sedan jag blev styvförälder och förälder har jag kommit fram till att jag kan använda mina metoder för att frambringa visst lugn men att jag samtidigt måste komma ihåg att ha lite kul under tiden. Jag kan dela ut några stränga förmaningar när det behövs, men jag måste också släppa taget så att livet kan ge mig nya lärdomar. Jag kan skriva listor och försöka få en uppfattning om mängden behov i vårt hem, men jag måste också stanna upp och möta verkligheten på vägen. Jag måste dessutom minnas att kaoset kommer att få ett slut. Det får det alltid.

Jag tror att detsamma gäller äktenskap och parrelationer. Är man gift, har en sambo eller delar lägenhet med kompisar måste det finnas en balans mellan kaos och lugn. Alla har väldigt olika behov i hemmet och att finna stunder där vi möts på halva vägen är oerhört viktigt.

MÖTAS PÅ HALVA VÄGEN

Hänsyn. Ett ord som jag inte tänkte så mycket på i tonåren och tidiga tjugoårsåldern. Jag flyttade hemifrån när jag var nitton, bodde ensam och gjorde vad som föll mig in. Jag åt vad jag ville, när jag ville. Jag hade så städat eller stökigt jag ville i lägenheten och sjöng för full hals vilken tid på dygnet jag behagade. Bor man ihop med någon måste man omvärdera alla sina vanor och egenheter, och andras vanor kan ge en rysningar. En före detta pojkvän till mig blev duktigt förbannad när jag inte hade ställt alla hans förpackningar med schampo och tvål med »etiketten framåt« efter att ha duschat på morgonen. Det var ingen procedur som jag var van vid eller kunde bry mig det minsta om, men jag blev snabbt varse hur viktig den ritualen var för honom. Jag behöver väl knappast nämna att det förhållandet inte funkade, men än i dag har min älskade man och jag vanor som vi ömsesidigt stör oss så in i helvete på och som gör våra världar aningen mindre lugna.

Jag är pedantisk av mig. När min man lämnar köksskåpen öppna efter att ha gjort sig en kopp te vill jag slänga ut varenda tepåse på gatan i raseri. Och omvänt blir mitt behov av ordning alltmer frustrerande för

114

Jesse, till exempel när jag hänger upp kläder som han för bara några sekunder sedan tog ur garderoben för att klä på sig. Vi gör varandra förbannade på så många små sätt, men genom att förstå våra egna behov och övertygelser kan vi släppa taget lite grann bägge två och inte låta alltsammans byggas upp.

Jag tror att det är oerhört viktigt att delegera när man bor tillsammans också. Jag är värdelös på att be om hjälp eftersom jag är så hemskt självständig, men med åren har jag lärt mig att det bara försätter mig i en ännu värre röra och leder till ännu mer stress om jag försöker göra för mycket. Det gagnar knappast mig och inte någon annan heller. Min man råkar vara en väldigt hjälpsam person, så han tar gärna över de delar av tillvaron som jag kan tycka känns betungande. Det har lett till väldigt mycket samarbete med hushållssysslor och barnuppfostran i vår relation. Om det känns som att det råder obalans med din livspartner eller rumskompis, se då till att vara ärlig och att ni delar på ansvaret hemma, så kan ni få det lugnt i ert förhållande. Det kan vara jobbigt att vara ärlig när det gäller att be om hjälp och förändringar, men de där orden som är så svåra att uttala är verkligen att föredra framför att drabbas av bitterhet och en hel drös andra känslor som ger massor av stress och väldigt lite lugn.

Det är väldigt lätt att reagera **utan att tänka efter** när familjemed-
lemmar trycker på våra svaga punkter. Att inventera våra reaktioner
och söka efter mönster hjälper oss att **försöka förändra** våra tanke-
gångar och reaktioner. Komplettera följande meningar.

Ibland bryter . . . . mitt lugn. När han/hon

. . . .

beter jag mig så här . . . .

. . . .

. . . .

. . . .

Jag vet att jag inte har makt att förändra honom/henne,

så i stället skulle jag kunna reagera så här: . . . .

. . . .

. . . .

. . . .

. . . . vilket skulle föra tillbaka lugnet i mitt liv.

GALEN AV KÄRLEK

Nu över till någonting lite roligare: att bli förälskad. Jag vet inte om så
värst många förhållanden börjar lugnt, och jag antar att de flesta av oss
tycker att det inte gör något. De flesta relationer inleds i ett delirium av
intensiva känslor och fullständigt kaos. Ett ljuvligt, glädjefyllt kaos. Lite
som Big Bang! Partiklar smäller ihop och studsar runt som kulor i ett
flipperspel. Den elektriska energin styr medan pupiller vidgas och hjärtan
slår aningen snabbare. Ingenting med att bli förälskad känns lugnt. Hur
skulle det kunna göra det när allt är så nytt, spännande och okänt? Det
finns inga garantier och ingen plan. Det är helt enkelt ett intensivt fritt fall
med ett stort flin på läpparna. Jag älskar den delen av relationerna, särskilt
det första halvåret efter min man och jag träffades. Alla andra bekymmer
i livet tycks gå upp i rök och flyga ut genom fönstret man lämnat öppet
en disig sommareftermiddag. Trista tankar på post som behöver öppnas,
punktlig närvaro vid möten och allmän vardagsstress får ge vika för vin,
sena nätter och rodnande kinder. Det är det enda tillfället då de flesta av
oss verkligen kan släppa taget.

Att bli förälskad förutsätter verklig sårbarhet, för det är att kliva in i det
totalt okända. Om du har blivit sårad förut och känner dig stressad över
att falla för någon ny, så lovar jag – som själv blivit sårad massor av gånger
genom åren – att det är så himla värt att ta chansen igen. Att finna lugn i
den där romantiska virvelvinden känns inte alls lika angeläget. Kanske kan
man någon enstaka gång längta efter tryggheten i att bo ihop eller att vara
gifta medan man försöker spola fram tiden, men försök annars bara njuta
av de intensiva virvelströmmarna av kärlek innan det blir dags för allt det
där. Du kan känna viss stress över ovissheten i den nya kärleken, men inte

ens giftermål och barn kan råda bot på det helt, så flyt bara med – finn en smula lugn i kärlekskarusellen genom att helt enkelt vara i ögonblicket. Låt adrenalinet och de nya intensiva känslorna flöda. Känn dig bekväm i kaoset. Det är så du finner lugnet.

PANIK PÅ FÖRSTA DEJTEN

Jag kunde inte låta bli att skriva detta. Finns det något tillfälle som är mindre lugnt än en första dejt? Dagen då jag hade min första riktiga dejt med min nuvarande make var en svettindränkt dag i ultrarapid. Klockan tickade så oerhört långsamt fram till sju på kvällen, då vi skulle träffas. Jag flaxade runt hemma och kände mig fullkomligt vansinnig och bestämde mig efter ett tag för att gå och trakassera en kompis runt hörnet i stället. Jag kunde inte vara ensam med den där känslan av upphetsat kaos en sekund till. Min vän Richard är lite av en expert på kärlek och relationer, för han skriver om ämnet och har dessutom ett långvarigt förhållande och fyra barn. Han lugnade mig omedelbart genom att påminna mig om att det är jättebra att ta till sig kaoset. Det är en form av inre anarki som får en att se allt med nya ögon. Det lyser upp varenda cell i kroppen och låter en ta risker och vara lite lättsinnig – i positiv mening. Ett annat gyllene visdomsord som han gav mig var ett som jag sedan dess har vidarebefordrat till många vänner. Jag frågade honom vad i helsike jag skulle ta på mig för att göra intryck, och han sa åt mig att behålla det jag redan hade på mig. Han sa till mig att på första dejten ska du ha på dig exakt samma kläder som du hade när kavaljeren skickade SMS eller ringde för att bjuda ut dig (såvida du inte var i pyjamas eller just då råkade vara på fest med åttiotalstema!).

Jag hade vid det tillfället haft på mig en George Michael-tröja och en kjol som kändes lite väl vardaglig, men Richard försäkrade mig om att det var exakt den avslappnade stil jag eftersökte. Jag kunde bara hoppas att Jesse gillade Wham! lika mycket som jag! Men jag antar att detta lilla guldkorn till råd egentligen bara betyder VAR DIG SJÄLV! Klä dig inte annorlunda eller bete dig annorlunda än du skulle göra med en kompis. Göm dig inte bakom hur du tror att de vill att du ska vara – var dig själv, var avslappnad och lugn i dig själv. Jag kan inte hålla Richard fullt ansvarig för de följande sju åren vi haft tillsammans, inklusive tre år som gifta, men jag kan verkligen uppskatta hans visdom, som hjälpte mig igenom de första känslostormarna kring första dejten. Tack, Richard!

HITTA VÅRT EGET LUGN

Det finns människor som blir beroende av de galna känslorna i början av ett nytt förhållande och som har svårt att gå vidare efter det. Kanske förutsätter de att saker och ting blir tråkiga efter ett tag och ger inte relationen chansen att bli varaktig. Jag älskar också den första frenetiska tiden, men jag skulle inte byta den mot det bekväma flöde jag har i livet nu. Jag älskar lugnet som omger relationen med min man. Det är något vi har valt att vårda i vårt äktenskap – något som kanske inte passar alla, men som för oss känns som om vi befäster valen vi gjort i livet. Våra liv kanske inte är så sprakande nu för tiden – med sena nätter och spontanresor till tatueringssalongen – men vi har fortfarande väldigt kul. Vi skrattar mer än någonsin, vi lär oss mer och mer tillsammans medan vi ser våra barn växa upp och hjälper varandra så gott vi kan. Det är de sakerna som betyder något för oss och vår familj, och det är de delar av våra liv som vi lägger enorma mängder energi på. Numera får vi våra kickar av familjelivet, stulna ögonblick som par, kärleken vi får från våra barn och allt det kaos som vårt liv tillsammans medför.

Stressen och lugnet är oupplösligt förbundna genom hela resan från förälskelse, äktenskap och barnafödslar till död eller skilsmässa. Livet är ovisst och vi hanterar situationerna som de kommer. Inget förhållande är perfekt och inget är helt befriat från inslag av stress. För mig handlar det om att inte låta vardagsstressen överskugga den djupa kärlek som vi alla har för varandra i vår familj – och att dessutom komma ihåg att det är fullt tillåtet att slappna av i de lugna stunderna när de väl dyker upp.

LIVETS KRETSLOPP

Medvetenheten om att våra relationer kommer att ha sina upp- och nedgångar i takt med förändringarna som livet för med sig kan kanske också tillämpas på hur vi ser på livet mer allmänt. Alla kommer vi att uppleva stress på olika sätt i våra liv och i varierande grad, men en sak har vi gemensamt: förändringar. Förändringarna kan vara positiva och lärorika, men också väldigt psykiskt påfrestande och komplicerade.

Första gången de flesta av oss upplever stress är i tonåren. FÖRÄND-RING! Den märks överallt. Våra kroppar förvandlas framför ögonen på oss medan våra hjärnor försöker hålla jämna steg med vår blixtsnabba färd mot vuxenlivet. Vi är inte tillräckligt unga för att känna oss så fria i våra kroppar som i barndomen, men inte så bekväma i våra vuxna gestalter att det ska kännas riktigt bra det heller. Det kan vara väldigt spännande och

Ett sätt att dämpa stressen och ilskan när andra i familjen gör dig frustrerad är att sätta dig själv i deras ställe. Tänk efter djupare på varför de beter sig på ett visst sätt och försök komma på vad **orsaken** är. Skriv namnet på familjemedlemmen och vad han eller hon gör i den första skon, och skriv i den andra det som du tror är de verkliga orsakerna till att de gör så.

VAD HAN/HON GÖR

VARFÖR HAN/HON BETER SIG SÅ

berusande, men detta limbo kan samtidigt vara väldigt mentalt påfrestande. Under tonåren försöker vi dessutom lista ut vad relationer betyder för första gången, samtidigt som vi navigerar bland alla möjligheter som kan leda oss till vem och var vi vill vara i världen. Plötsligt framstår ansvar och organisation som någonting skrämmande och väldigt verkligt.

Efter det möts vi av utmaningarna som relationerna för med sig, som att bo ihop, kompromissa och lära sig att lita på någon utanför familjelivet när de blir en ny del av vår klan. Det kan leda till nya dimensioner av stöd som vi inte visste fanns, men förändringen kan också kännas överväldigande och eventuellt påfrestande. Sedan kanske du tar steget vidare till föräldraskap eller en karriär, eller kanske både och. Då väntar fler kompromisser och en helt ny syn på hur du värderar tiden, vilket kan leda till massor av oro men också personlig utveckling.

Och sedan måste vi förlika oss med att vi åldras, med knakande leder och ångest över skrynkliga pannor. Det kan kanske vara ett lägligt tillfälle att sänka tempot i livet och festa mindre, men det är definitivt också en tid full av förändringar.

Förändringen är viss, stressen trolig, men glädjen finns också överallt om du bara söker den. Det är märkligt hur förändring och död kan förvirra oss så i detta livets oändliga kretslopp, trots att vi vet att det är 100 procent normalt. Det är så det har varit i tusentals år och så det kommer att förbli under lång tid framöver, men ändå känner vi hur vi skakar av rädsla och osäkerhet kring dessa saker. Kanske är det bara en naturlig del av det hela. När vi skakas om på så sätt i livet får vi lärdomar som antingen kan motas tillbaka med spända käkar och massor av stress eller bemötas med en överväldigande känsla av att släppa taget. När jag träffade min 94-årige gammelfarbror Haydn (som jag är så glad att jag skrev om i *Glad*) sa han liksom bara i förbigående: »Se till att komma och hälsa på innan jag trillar av pinn.« Döden är kanske enklare att acceptera för honom – vid 94 års ålder kanske vi har lättare att förstå och kapitulera inför detta oundvikliga faktum, stärkta av ålder och visdom. Möjligen är det en visdom som kan uppnås först efter många decennier fyllda av skratt, saknad och kärlek?

Den äldre generationen må ha kommit längre med att försona sig med sitt öde, men det kan leda till stor sorg och stress för dem som blir kvar. När mina mor- och farföräldrar gick bort kändes det som om stora hål hade slitits upp där deras kärlek och personligheter en gång funnits, och jag kan inte ens föreställa mig hur det är för dem som förlorar sina livskamrater, föräldrar eller barn i förtid. Sådana förändringar är tunga och förlusten förgör allt lugn man haft, för det känns som om en byggsten i ens fundament plötsligt rycks bort. Förluster kan skapa massor av kaos, så i stället för att jaga förtvivlat efter lugn kanske vi bara behöver försöka acceptera det. Att förstå att lugnet en gång kommer tillbaka kan vara det enda alternativ som finns medan sorgen härjar som värst. Försöker vi döva kaoset genom att förtrycka känslorna, avleda dem eller ignorera dem helt och hållet kommer de med stor sannolikhet upp till ytan vid ett senare tillfälle. Jag tror att vi under dessa mörkare perioder måste försöka försona oss med kaoset, men samtidigt komma ihåg att lugnet återvänder förr eller senare.

TIDEN LÄKER

Vi kommer alltid att ställas inför förändringar i familjelivet, så för att finna lugn behöver vi bestämma oss – ska vi spjärna emot, hålla andan eller dyka med huvudet före i stressen? Eller ser vi det ske, släpper taget, låter det hända och går vidare? Det är upp till var och en. Om vi välkomnar förändring får vi betydligt bättre förutsättningar att antingen acceptera kaoset det leder till eller finna vårt lugn inom det.

Sammanfattning

KLIV TILLBAKA.	OM DU ÄR MAMMA	SLAPPNA AV.
Svara på alla former av familjedramer från en lugn utgångspunkt.	Acceptera kaoset! Sluta försöka bekämpa det och bejaka det i stället.	Låt inte kontrollen hindra dig från att ha kul.

HUR SER EN LUGN FAMILJ UT FÖR DIG?

Skriv ner ett ord eller rita en bild här som sammanfattar det.

LUGNA VÄNNER

Ibland brukar jag föreställa mig mitt liv som en teaterpjäs där rollfigurerna kommer och går. En del håller sig kvar genom hela föreställningen medan andra gör entré på vänstra sidan av scenen och sorti på den högra strax därpå. Att stifta nya bekantskaper kan påminna om att bli förälskad – att man träffar en själ som ödet hade bestämt åt en att träffa och som överöser en med kärlek och som man skapar härliga minnen med. Nya rollfigurer kan också komma med en hel container fylld med drama och en total scenomvandling. Jag funderar ofta på om tillfällena då vi stöter på personer som får stor betydelse för oss beror på ödet och våra behov eller bara på slump och tur. Jag lutar personligen åt uppfattningen att vi attraherar de människor som vi behöver lära oss av, även när det känns negativt och besvärligt och kan ge tillvaron motsatsen till lugn.

LUGNA TYPER

Vi börjar med det positiva! De där personerna som kan lugna ner en från ren panik och oro. Har du någon sådan härlig person i ditt liv som du vet kommer att lätta bördan av din oavbrutet tjattrande hjärna? Är det inte märkvärdigt vilken makt någon annans lugnande ord kan ha för att mildra stress och skapa klarhet? Jag känner att jag kan spricka av tacksamhet när jag har några sådana lugna krigare i vänkretsen. Drog jag till mig de personerna för att de skulle lära mig något om livet eller var det bara ren tur att de dök upp vid rätt tillfälle? Det kommer jag aldrig få svar på, men jag älskar magin som de utstrålar.

Bara jag påminner mig om det här nätet av vänskaper försätts jag i ett lugnare tillstånd bakom kulisserna. Om jag går igenom en dramatisk period vet jag att jag kan ringa eller mejla en av dessa drömprinsar, blotta mig totalt och få lite välbehövlig vägledning. Ett par fräscha ögon, nya fördomsfria tankar och åratals erfarenhet kan få oss att vidga våra vyer. Det är första steget till att reagera på bästa möjliga sätt. Använd alltid dessa lugna personer i ditt liv som bollplank innan du simmar ut på djupt vatten utan simglasögonen på! Låt dem se din situation med klarhet och låt dem hjälpa dig att lyfta undan det röda skynket innan du reagerar. Det kan vara en enda enkel mening som förändrar allt. Jag brukar alltid tänka: »Om jag inte själv kan se verkligheten i den här situationen måste jag vända mig till någon i min omgivning som kan ge mig lugn.« Att öppna såväl hjärta som öron kan vara en otroligt mäktig kraft.

Min man Jesse är 98 procent lugn. Det krävs mycket för att bringa honom ur fattningen, och till och med när någon går över hans personliga gräns hanterar han det på ett väldigt värdigt och jordnära sätt. Jag besitter

tyvärr inte de egenskaperna, så jag måste ganska ofta ta hjälp av honom för att agera på lämpligt sätt. Jag blir som en frustrerad tonåring när jag retar upp mig på folk i omgivningen. När någon annans ord, handlingar eller åsikter strider mot mina kan jag ibland resa mig likt en kobra som man petat på med en pinne. Lugnet upplöses på några sekunder och jag grips av rasande ursinne. Den läxan måste jag lära mig gång på gång, verkar det som. Jag försöker snabbt få råd av de lugna typerna i mitt liv som kan påminna mig om kausalitetens lagar. Det är sällan vad som pågår omkring oss som räknas, utan snarare HUR vi reagerar på det.

ATT VARA DEN LUGNA TYPEN

Det känns som om jag har dragit en riktig vinstlott som kan få hjälp att mildra mina orosmoment och problem av människor jag älskar, och jag hoppas att jag kan ge samma sorts fridfulla känsla tillbaka. Desto jobbigare kan det kännas om man har en vän som man engagerar sig i men som man inte tycks kunna kommunicera med. Man upprepar och formulerar om sitt problem för dem till ingen nytta. Det kan i sin tur ta en ännu längre från lugnet, när det känns som om situationen blir så irriterande den kan bli.

Att ha bra kompisar är en sådan **total gåva** och något jag aldrig tar för givet! Jag älskar mina kompisar och tackar universum för dem varje dag! Gör den här sidan till en **tacksamhetssida** för dina vänner. Sätt fast ett foto på dina bästa vänner här och hylla det som de ger dig i livet.

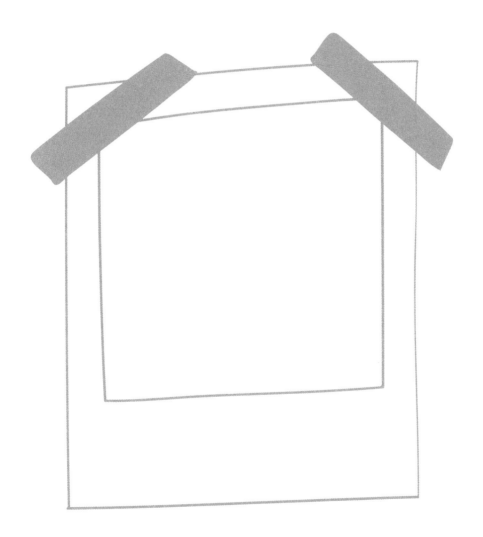

Det kan vara frustrerande när människor som du älskar inte lyssnar på dina synpunkter på problemen de har, men då måste du påminna dig om att de kanske inte är riktigt redo att släppa taget och börja om på nytt.

Jag har haft människor i mitt liv som verkar ha kört fast och jag har själv varit i den situationen. Ska jag vara riktigt ärlig har jag fortfarande en del jämmer som jag behöver göra mig av med – situationer som jag inte kan förändra men vägrar att ändra åsikt om, så att jag oavbrutet gnäller över samma problem. När jag var i tjugoårsåldern fick mina vänner ständigt höra samma klagan om vissa förhållanden i livet, och trots att jag bombarderades med råd och kärlek tröskade jag vidare utan att förändras eller göra något åt saken. Så här i efterhand kan jag se deras kärleksfulla avsikter och hur de försiktigt försökte leda mig från min påfrestande tillvaro till lugn, men när man befinner sig i stormens öga tar det lång tid att klura ut saker och ting.

Om du känner någon som kommer till dig med samma problem kanske vännen i fråga inte är redo att ta några större språng eller kanske skräms av att behöva kliva ur trygghetszonen. I sådana lägen finns det kanske inte så mycket du kan göra. Ingen kan få folk att göra något som de inte vill. Vi kan på sin höjd erbjuda vänliga ord som kommer från hjärtat, ge dem lite av vår tid och låta dem själva bestämma resten.

Det kan fresta på tålamodet att få höra samma problem om och om igen, men samtidigt ger det oss chansen att lära oss något. Varför blir vi irriterade och tappar tålamodet när våra vänner mår dåligt? Kan det vara så att vi känner igen oss själva i deras situation?

Om du själv är den som kört fast ordentligt i något som gör dig olycklig, försök reda ut varför du inte förändrar situationen. Accepterar du kaos i stället för lugn för att det är vad du är van vid? Eller är det för att du inte tror att du förtjänar något bättre?

När jag var i tjugoårsåldern kände jag mig fast i vissa jobb- och livssituationer och klagade en hel del över det, och i efterhand förstår jag att jag var beroende av den sortens dramatik vart jag än gick. Jag ville leva livet på högsta växeln men hängde inte med i svängarna, så jag halkade efter och ropade och skrek. Att jag borde pröva på något nytt slog mig inte ens förrän jag fyllde trettio. Då försökte jag jämna ut guppen och köra aningen långsammare. Det finns fortfarande gott om gupp, men nu är jag mycket mer medveten om varför de finns där. Jag är så tacksam för att mina vänner gav mig sådana stabila råd längs vägen, trots att jag ignorerade dem så eftertryckligt. Nu förstår jag varför jag gjorde så. Jag var rädd för förändring. Innerst inne visste jag att det de sa var helt sant, men att acceptera vad de sa och göra förändringarna de föreslog skrämde livet ur mig. Jag kände inte att jag kunde sakta ner tempot i jobbet eller göra mig av med människorna i mitt liv som fick mig att må dåligt. Ansvaret att fatta sådana beslut kändes alldeles för betungande, så det var enklare att plöja vidare i samma spår och bara gnälla lite mer.

Inte alla råd som våra vänner ger oss kommer att vara de rätta för oss, men om du får minsta lilla känsla innerst inne att dina vänners ord kan ta dig ur en psykiskt påfrestande situation bör du kanske försöka lägga rädslan åt sidan och genomföra förändringen, med vetskapen att du har härliga vänner som stöd på vägen.

131

HEJ TILL... REGGIE

En vän som jag ständigt vänder mig till för diskussioner om livet och för att be om gamla hederliga goda råd är Reggie Yates. Mitt första minne av Reggie genomsyras av godhet. Jag var femton och extremt oerfaren och storögd inför hela grejen. Min första insats någonsin framför TV-kameran gjorde jag tillsammans med Reggie, som lugnade mina nerver och gav mig ett stort leende på läpparna. Än i dag räcker det med en titt på Reggies strålande Stomatol-leende på skärmen för att få alla mina problem att snabbt rinna undan.

Så tillbaka till den ekande TV-studion, med kamerorna på och teamet redo. Jag var helt i nervernas våld, sjabblade bort mitt första framträdande och teaterviskade sedan orden »SKIT OCKSÅ«, vilket ledde till en snabb tillrättavisning från redaktören. Jag trodde att jag hade sumpat min TV-karriär redan innan jag ens fullbordat min första bandade replik.

Tagning TVÅ. Reggie började, snubblade på orden och suckade tyst »SKIT också« med spelad självupptagenhet, vilket genast gjorde mig väldigt mycket lugnare. Reggies fejkade sjabbel fick mig att framstå som mindre värdelös och honom som mer mänsklig för mitt nervösa jag.

Det var så vår vänskap inleddes – med ett chevalereskt infall för att göra mig mindre generad. Det är i stort sett så vår vänskap sedan har fortsatt, med kärlek, omtänksamhet och humor. Reggie har fått mig att skratta till inkontinensens gräns så många gånger och lugnat så många oroliga och spända ögonblick. Det har varit en tjugoårig vänskap som jag hoppas ska fortsätta i många år till. Jag känner mig ofattbart lyckligt lottad, och det tillför mitt liv så mycket lugn och stöd.

F: Hej Reggie. Vad minns du från den första tiden av vår vänskap?
R: *Disney Club* känns som fem livstider sedan, när vi hade nöjet att visa upp det som förmodligen var den pinsammaste perioden i våra liv, tonåren, för hela den brittiska allmänheten. Första gången vi sågs var jag tretton eller kanske

fjorton och hade redan gjort några serier med samma team. Den kontinuiteten hjälpte mig att känna mig bekväm framför kameran och självsäker i det som jag uppfattade som den mest vuxna delen av dagen – arbetet.

På den tiden var jag nästan lika intresserad av upptågen runtomkring inspelningarna som av att intervjua popstjärnor. *Disney Club* var speciellt på så vis att det var ett gäng ungdomar som ledde ett program som på något sätt ändå inte blev katastrofalt. Till denna dag förstår jag inte hur du kunde kliva in bland en skock finniga, hormonstinna och skräniga grabbar utan att blinka. Du var den nya tjejen som inte tog någon skit, och det älskade jag. Jag växte upp i ett hus fullt av kvinnor och mina fyra systrar lärde mig snabbt vilken typ av tjej man inte körde med, och du uppfyllde de kriterierna. Du påminde mig genast om min familj, och det är nog därför som jag fortfarande kallar dig för ›syrran‹. Jag dissade skiten ur dina Spice Girls-Buffaloskor och du gav mig ett helvete när jag kom ut ur omklädningsrummet och stank Lynx Africa-deo. Jag minns att du kände dig som hemma i TV-familjen väldigt snabbt och den där syskonkänslan har inte förändrats ett dugg fram till i dag.

F: Det är så underbart att du alltid har tid för mig och är så otroligt bra på att lyssna, att vi kan prata engagerat om allt från inredning till hjärtesorger och att du aldrig har några förutfattade meningar eller drar förhastade slutsatser. Vad får du ut av vår vänskap?

R: De bästa relationerna jag har bygger på att man har likartad syn på världen eller förstår saker på ungefär samma sätt. Under min utveckling har den emotionella intelligensens betydelse nästan blivit det jag söker allra mest i alla förhållanden, vare sig de är professionella, platoniska eller romantiska. Hur starka band gemensamma erfarenheter än kan ge räcker det inte för att bevara en relation på ett sunt sätt i två decennier. Din och min vänskap tror jag har varat tack vare grunden den bygger på.

När vi träffades visste vi bägge två att vi kunde bli av med jobbet när som helst. Den vetskapen ändrade vårt beteende och vår inställning till pengar, kändisskap och arbete på exakt samma sätt. Varje gång jag såg hur du betraktade världen stämde det överens med mina värderingar, vilket sa mig att jag kunde lita på dig i en värld full av ytliga och i vissa fall jävligt obehagliga personer.

Jag har aldrig ställt mig själv frågan vad jag får ut av en relation, för ärligt talat har jag inte så många nya vänner. De som jag kallar vänner har jag vuxit upp med, och jag tror att medan vi blivit vuxna har möjligen vår smak för skor och deodorant förändrats men inte våra värderingar.

F: Vad tror du utmärker en stabil vänskap, och kan en bra vänskap ge lugn?
R: Eftersom jag alltid har haft en komplicerad relation till min riktiga familj ser jag vännerna som den familj man själv väljer. När jag flyttade hemifrån som artonåring och kämpade för att känna en egen sorts oberoende var människorna jag vände mig till för hjälp och råd oftast inte släkt.

Tillit och ärlighet är på gott och ont stommen i allt jag har som är värt något i livet, särskilt mina vänskapsrelationer.

F: Hur svårt tycker du det är att ge en vän ärliga råd, speciellt om det kanske inte är det de egentligen skulle vilja höra?
R: Under många år gjorde jag som jag blev tillsagd på jobbet och struntade i vad jag själv kände. I samma stund som jag började känna mig lite säkrare på min egen magkänsla, smak och uppfattning förändrades hela min karriär till det bättre.

Något jag skyr som pesten är att ta råd från människor som inte har upplevt eller har någon erfarenhet av den grej de påstår sig vara experter på. Så när det är fråga om människor jag älskar och jag ska tala om för dem vad jag tycker i någon viss situation, så försöker jag se deras problem filtrerat genom mina egna erfarenheter. Det kan vara jobbigt, men jag måste vara ärlig mot mina vänner och mig själv om de kommer till mig för att få hjälp. Det finns inget värre än en vän som säger ›Vad var det jag sa?‹ trots att de faktiskt aldrig sa det!

F: Jag tycker att det kan vara så underbart lugnande att träffas öga mot öga med någon och verkligen få kontakt. Att prata och byta idéer känns viktigt. Hur viktigt tycker du att det är att ta sig tid att ses fysiskt?

R: Tid tillsammans med vänner tycker jag är oumbärligt. Nu kanske jag låter väldigt mycket som Maya Angelou, men det är som soulfood för mig! Jag går så långt att jag kollar almanackan flera månader i förväg och planerar in dagar när jag kan gå och äta middag eller ta en öl med kompisar.

Jag höll på i flera år och jobbade med mig själv och med vad jag kunde göra för att bli bättre som människa, men stunden då allt föll på plats var när jag insåg att det faktiskt inte var mig det handlade om. Att investera i människor är en av de viktigaste sakerna i mitt liv, och den investeringen är som jag ser det precis lika viktig med vänner som med främlingar.

Att låta ett späckat schema förhindra investeringar i rätt saker duger helt enkelt inte. Att ta sig tid för en vän och bara fråga om allt är bra är så viktigt, för vi behöver alla lätta på bördorna och lära oss saker tillsammans med folk vi litar på.

Sedan jag började satsa på att ge min energi till de människor eller de frågor jag bryr mig om har jag inte känt någonting annat än stöd från vänner och familj, utan att ens be om det. Och jag känner inte att responsen på något sätt har varit pliktskyldig – jag tror uppriktigt sagt att det bara är så det funkar.

När bekanta och folk i vår närhet sviker oss, upplevs som fientliga eller får oss att reagera på ett visst sätt är det bra att ha en lista över regler att försöka hålla sig till. Det är alltid till hjälp för mig när jag försöker bemöta konfrontationer eller undvika drama. Mina regler ser ut ungefär så här:

· Jag ska inte prata om personerna i fråga.

· Jag ska inte låta dem ta glädjen ifrån mig.

· Jag ska inte vara rädd i deras närvaro eller oroa mig för vad de kan ta ifrån mig.

· Jag ska fylla mitt hjärta med dem jag älskar i stället.

Sedan går jag tillbaka till listan vid behov. Skriv din egen lista med regler här, och när du känner att du behöver dem kan du gå tillbaka till den här boken, eller så kan du ta en bild på listan och lägga den i telefonen så att du alltid har den till hands.

HEJ TILL... BONNY

En av mina bästa vänner, Bonny, är olik mig på så många sätt, men magin genomsyrar mejlen vi skickar fram och tillbaka över havet som skiljer oss åt. När vi träffas en eller ett par gånger om året stärks vår vänskap ännu mer, med minnena vi skapar tillsammans och historierna vi berättar för varandra.

Bonny Kinloch föddes 1943 i Kina och var den yngsta av alla som sattes i det japanska fånglägret Lunghua i Shanghai. Hennes historia började under ovanliga omständigheter och fortsatte sedan på samma dramatiska och unika vis. Bonny bor nu i Ibiza, som hon har betraktat som sitt hem sedan 1979. I dag är hon 26 år gammal – för när hon fyllde 50 bestämde hon sig för att räkna åren bakåt. Det är bara en av alla saker jag älskar med henne.

Första gången jag träffade Bon Bon var för fem år sedan, när min man och jag reste på semester till Ibiza. Då hade jag redan fått höra massor av historier om denna excentriska och magiska dam, som var Jesses avlidna mammas bästa vän. Hon är på sätt och vis en modersgestalt för Jesse. När han umgås med henne kan han känna en bit av sin mamma i luften och glider in i ett avslappnat och behagligt mönster som kopplar honom direkt tillbaka till barndomen och ett tillstånd av lugnande nostalgi.

En brännande het sommardag på vår favoritö åkte vi uppför en grusväg på en brant kulle som inte verkade leda någonvart. Hur i hela friden kunde någon bo uppe på ett sådant svårforcerat berg utan vägskyltar eller gatlyktor? Vi åkte förbi flera rostiga och obevekligt solblekta gamla cyklar. Det var tydligen tecknet på att vi hade hamnat rätt. Jag gillade stället med en gång.

När vi kom högst upp på den ändlösa och till synes räfflade höjden fick jag syn på Bonnys hus. Det var Bonny och hennes man Angel som hade byggt det när deras numera vuxna barn var små. Varje liten tegelsten hade lagts med omsorg och stil, varje exotiskt utformad dörrpanel hade återvunnits och kärleksfullt restaurerats. Innan jag hann ta in någonting mer av huset, som såg ut som en tavla på Pinterest, for Bonny ut genom dörren. En späd liten älva insvept i vit kaftan som fick henne att framstå som ett svävande överjordiskt väsen. Hennes långa flätade hår verkade färdas i en annan tidszon och kom ikapp henne medan hon skuttade fram mot oss. Vår första kram var som alla andra efter den – bastant. Hon omfamnar mig som en vän jag inte har träffat på år och dar och ser mig sedan i ögonen som om hon kunde tyda alla mina innersta hemligheter.

Mitt på huset har Bonny en stor terrass med utsikt över havet, där allt ramas in med ett nät av hängande kristaller och vindspel. Och det finns så många andra hjärtan som slår i detta hem. Jag vet inte hur många husdjur som bor i detta paradis uppe på höjden, men jag känner mig definitivt alltid i minoritet. På denna fridfulla terrass äter Bonny och hennes familj och vänner nyplockade fikon, de sötaste meloner jag någonsin har smakat och traktens krämiga yoghurt. Det är också där vi har ägnat flera underbara stunder åt att diskutera och lyssna på varandras historier. Varje sommar gläder jag mig oerhört över att bli översköljd av Bonnys energi och raspiga röst – ett sådant perfekt motgift mot livet i London. Omedelbart lugn. Bonny har varit med om tusentals äventyr, hon har gjort det hon har känt för och följt de vindlingar och vändningar som livet fört med sig. Hon lever totalt i stunden och bekymrar sig inte ett dugg över hur annorlunda hennes liv kan vara jämfört med andras. Jag inspireras ständigt av denna underbara vän, vare sig jag trakteras med snaskiga sjuttiotalshistorier en varm sommarkväll eller om hon berättar via mejl hur alla hennes husdjur mår och hur Ibizas tysta vintrar elegant och stilla passerar.

Nu ska vi ta och lyssna på Bonnys syn på livet och lugnet.

F: Varje gång jag kommer till ditt vackra hem känner jag alltid ett omedelbart lugn skölja över min kropp och själ. Skulle du säga att du känner dig lugn för det mesta?
B: För det mesta.

F: Har du blivit lugnare med årens gång?

B: Definitivt.

F: Hur har du reagerat genom åren när du drabbats av oförutsedda motgångar?

B: Om motgångarna inte är av personligt slag – som en kraftig tyfon eller jordbävning (har varit med om både och!) eller att inkomsterna inte räcker till – då känner jag ingen rädsla alls! Jag litar på att allt kommer att bli bra så småningom, och under tiden gör jag bara allt som krävs.

Däremot knäcks jag totalt om motgångarna påverkar mina känslor – om jag blir avvisad eller sviken i relationer, om någon jag älskar går bort.

F: Om du ser tillbaka på händelser i ditt liv från den plats där du befinner dig nu, tror du då att du skulle ha kunnat reagera på ett annat sätt i vissa situationer?

B: När jag ser tillbaka på mitt liv finns det några tydliga milstolpar längs vägen där ett annat val skulle ha fått ett annat utfall. Men vilket val som än gjordes för stunden, så var det detta val som var aktuellt för den stunden. Just då vet man inte det man inte vet.

F: Hur ser du personligen till att hitta tillbaka till lugnet?

B: Stannar upp. Andas! Känner tacksamhet och kärlek till Livet. Sänder ut kärlek till alla dem som lider. Känner Kärlek… Kärlek… Kärlek… Tacksamhet!

F: Vad är lugn för dig? En plats? En person? En tanke? En disciplin?

B: Lugn för mig är ett tillstånd. Att man bara är, flyter längs livets flod. Det kan kännas på en plats som sänder ut en stark lugn energi, och i sällskap med en person som är fridfull och balanserad. Lugna tankar ger lugn. Som disciplin är det att praktisera sina kunskaper i ›acceptans‹ och ›att släppa taget‹.

139

F: Vilka saker i livet rubbar din balans och får dig att känna allt annat än lugn?

B: Arrogans, okunnighet, tyranni och ojämlikhet mellan könen bringar mig ur fattningen. Det finns ju förstås många stora problem som hotar vår existens. Bara att räkna upp dem får mig att tappa lugnet!

F: En av de saker som jag älskar mest med dig är att du lever till 100 procent i stunden. Hur viktigt tror du att det är för ditt välbefinnande?

B: Tack vare Eckhart Tolles briljanta bok *The Power of Now* och Guidens läror i *Den lilla guideboken* har jag lärt mig konsten att leva för stunden och det har förändrat mitt liv i grunden. När man lever så närvarande i ögonblicket som möjligt får livet en annan rytm. Vårt samhälle har betingat oss att värdera dem vi är efter vad vi åstadkommer. Vi har en ständig press på oss att prestera. Det handlar om en lömsk fruktan för vår överlevnad. Genom att fokusera på ögonblicket för stunden lämnar vi inget utrymme för fruktan. Det finns bara ett varande. Att vara närvarande. Vara medveten om ens roll i det mirakel som är Livet. Att leva i kärlek, harmoni och tacksamhet.

OLUGNA TYPER

Nu har vi talat om de älskade människor i våra liv som får oss att känna balans och lugnar oss ända in i märgen, men hur är det då med dem som gör absoluta motsatsen? Varför kom de in i bilden över huvud taget? Vad har vi för nytta av dem och hur kan vi se till att ändå agera med lugn i deras närvaro? Du kanske har någon arbetskamrat som får dina kinder att blossa av vrede bara han eller hon öppnar munnen. Du har kanske en vän som förändrats till oigenkännlighet, men som du ändå känner dig lojal mot på grund av er långa vänskap. Kanske har du syltat in dig i någon annans problem i onödan och låter det dränka lugnet fullständigt.

Det är oundvikligt att våra vägar ibland korsas med människors som eliminerar den där underbara balanserade känslan i ett enda slag. Kanske älskar du rent av någon som har den effekten på dig, eller så älskar du inte personen i fråga, vilket gör utbytet ännu mer oförlåtligt.

Jag har några jobbiga och olämpliga personer i mitt liv, precis som alla andra, och även om jag inte behöver ha med dem att göra dagligen eller på ett djupare plan gör de mig nervös och stressad – vilket är en enkel resa bort från min lugna plats. Så hur hittar vi då tillbaka och hur kan vi till på köpet få ut något av det hela? Om vi är öppna för att lära oss något kommer vi att kunna ta för oss av lärdomarna, även om det vid första anblicken bara verkar enormt irriterande. Om vi alltid försöker ha det i åtanke blir situationen något mer uthärdlig. Vi behöver också komma ihåg att allt detta är möjligheter för oss att finjustera hur vi REAGERAR. Varför finns det vissa som ständigt retar upp oss och får ett bubblande kaos att stiga ur maggropen? Hur kan de ha sådan makt över oss att de kan skaka om oss så att vi tappar riktningen och lugnet helt ur sikte?

Svaret är att de inte har det – VI väljer att ge dem det. Om vi bara tar tillbaka bollen på egen planhalva och minns att hur vi REAGERAR är det avgörande, så kan vi försiktigt röra oss tillbaka till lugnet.

Det finns många alternativ att välja på när vi reagerar på någon annans kaos. Till syvende och sist handlar det om ifall vi gör det av antingen kärlek eller rädsla. Om vi gör det av rädsla, varför är det vår första reaktion? Kan vi bara sätta fingret på vad det är får vi betydligt större möjlighet att reagera på personens beteende från en mer balanserad utgångspunkt.

Ibland kan det kännas som om det finns »skurkar« i vår tillvaro, elaka typer som har dykt upp i ett enda syfte: att skapa förödelse i våra liv. Jag är ganska säker på att de flesta av dessa personer bara gör sin grej utan särskilt mycket eftertanke alls. Vissa människor är helt enkelt inte så bra på att se sig om ordentligt och lägga märke till hur deras beteende påverkar andra. Tanklöshet är mycket vanligare än avsiktliga angrepp. Personen i fråga är nog snarare upptagen med sina egna problem och rädslor än fokuserad på att irritera oss.

Självklart finns det personer med ett mörkt förflutet som har fått dem att agera på ett sätt som faktiskt verkar avsiktligt och beräknande, och jag antar att enda sättet att förstå deras agerande är att ta reda på vad det var som fick dem att leva sina liv på det viset. Jag önskar att jag kunde säga att det bara handlar om att vissa »helt enkelt är idioter«, men jag skulle göra både mig själv och dem en otjänst om jag inte tog en närmare titt på historien bakom det som syns på ytan. Vi har en tendens att vilja förminska människors existens till att vara avskyvärda typer som bara fattar dåliga beslut, för då blir deras beteende mer förståeligt och vi känner oss trygga i vårt eget sammanhang. Vi får för oss att vi genom att kategorisera människor som antingen »goda« eller »onda« bringar ordning

142

i röran som livet ibland för med sig. Jag har själv gjort det så många gånger, men innerst inne vet jag att alla faktiskt kämpar på sitt vis, vilket i sin tur får dem att agera på ett sätt som kanske inte faller oss i smaken. Vi måste sluta upp med att sätta etiketter på människor – döma ut dem som antingen goda eller onda – och se alla som kämpande människor som försöker finna sin väg i livet.

Det är ju faktiskt hemskt sorgligt att vissa inte tycker sig ha något annat val än att låta sin egen ångest och smärta gå ut över andra. Ge de människorna sympati och kärlek, för de behöver helt klart komma på ett annat sätt att leva.

Hantera människorna som prövar ditt lugn genom att ta ett djupt andetag innan du reagerar, minns var din egen irritation kommer ifrån och minns att innerst inne lider nog de också.

EN STRESSLINDRARE

Förlåtelse kan även det vara ett svårsmält koncept – allt som har med det att göra kan kännas fel i vissa situationer – men det kan ha många helande och stresslindrande kvaliteter. Här kommer några saker jag har lärt mig om förlåtelse:

Förlåtelse handlar inte om att låta någon slippa undan. Förlåtelsen befriar inte nödvändigtvis en människa från dennes oförrätter, inte heller raderar den oförrätterna ur historien. Har någon sårat en, tillfört stress eller oro blir de känslorna väldigt påtagliga. Att förlåta någon handlar till stor del om att befria sig själv från det förflutnas bojor. Så fort man förlåter en människa ordentligt kan man börja släppa taget om en hel drös

Att förlåta andra är ibland väldigt svårt, eftersom situationerna kan vara laddade och det finns en del personer i ditt liv som du helst inte skulle vilja ha där. Men **förlåtelsen** befriar oss i allt väsentligt från dem, så det är alltid värt det hur jobbigt det än känns. Markera var du tror att du befinner dig bland **förlåtelsens ringar** och se hur du skulle kunna gå vidare till nästa ring in mot mitten.

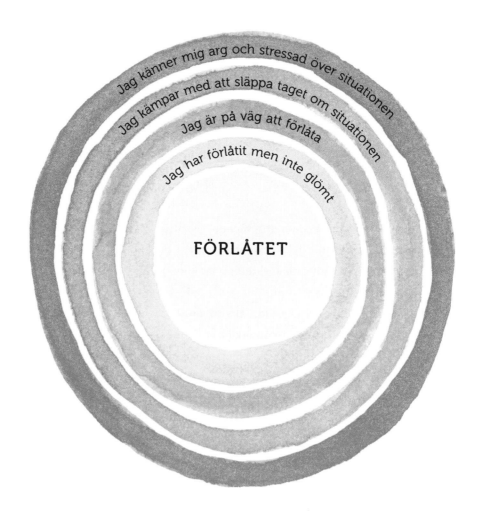

Jag känner mig arg och stressad över situationen

Jag kämpar med att släppa taget om situationen

Jag är på väg att förlåta

Jag har förlåtit men inte glömt

FÖRLÅTET

med kvarbliven gammal stress som inte längre fyller någon funktion. Om en vän har behandlat dig illa, inte respekterat er vänskap eller gått över gränsen kanske du klamrar dig fast vid ett klot av stress av en himlakropps storlek. Den klumpen kan tynga ner, hämma eller skapa fysiska problem för dig. Du behöver faktiskt inte hålla fast vid något av det längre, så slit loss bojorna och ge förlåtelse. Om du förlåter någon och verkligen menar det kan bojorna slitas rätt snabbt och du kan bli fri från det förflutna och känslorna det omges av. Ju längre du väljer att hålla fast vid denna specifika historia, desto längre kommer du att dras ner i dyn. Det kanske inte alltid är så lätt att förlåta, men om du föreställer dig det som en gåva till dig själv snarare än till den andra personen som berörs, så kan det i alla fall kännas mycket lättare.

KÄNSLAN AV ETT SLUT

Har du någon gång känt en sådan nära vänskap med någon att du är övertygad om att ni är skapta för varandra? En kamrat som gjord för skoj, äventyr OCH en omedelbar resa tillbaka till ditt inre lugn? Sådan vänskap kan kännas oövervinnelig, men naturligtvis kan livets ständiga föränderlighet successivt ändra på det. Så vad gör ni när kraven som livet, familjen och arbetet ställer på er tär på er historia och gemensamma grund och sprickor börjar uppstå? Hur är det möjligt att en vänskap som varit så stark och grundats på likhet och personlig kontakt gradvis kan förändras i takt med livets förvecklingar?

Återigen tänker jag mig våra liv som utdragna teateruppsättningar, där rollfigurer kommer och går och tycks kliva ut i rampljuset exakt då det behövs. Jag har varit med om vänskapsrelationer som med tiden har upplösts till synes helt utan anledning. Det fanns inga meningsskiljaktigheter eller någon instabilitet

i vår historia, utan det var bara tiden och vissa små nyanser som försköt byggstenarna i vår vänskap. Det finns inte en specifik tidpunkt då sådana vänskapsrelationer visar tecken på att upphöra. Ofta rinner de bara ut i sanden utan förklaring. Det är väldigt mycket mindre smärtsamt än relationer som avslutas med storgräl, men det är ändå sorgligt och något man sörjer på sitt sätt.

Nästa steg för att finna lugnet i det läget är att komma på nya sätt att samverka med personen som en gång stod så nära och att ni försöker förstå varandra utifrån det nya perspektivet. De gånger genom åren som jag har varit med om att kommunikationen har brutit samman på det sättet har jag oroat mig för att det var JAG som hade förändrats och förvandlats till en person som var mindre önskvärd som vän, vilket förde mig långt bort från mitt sköna, lugna tillstånd. Numera tror jag snarare att alla förändras hela tiden och att det antingen svetsar samman vänskapen eller i tysthet nöter ut band som inte längre behöver finnas. Det är nästan så att det är utom vår kontroll. Vi förändras i enlighet med det som livet ställer oss inför, och det antingen passar eller inte passar ihop med människorna omkring oss. Fortsätter vi att göra det som vi tror är rätt för oss själva i livet och som gör oss lyckliga och lugna, så kommer likasinnade att lockas in i bilden. De som inte gör det är kanske inte i samklang med vår syn på världen, och det är helt okej det med. Jag tror att vi drar till oss rätt människor vid rätt tidpunkt, även om det känns konstigt, obekvämt och ibland väldigt jobbigt.

Det är nästan som om vi allihop är kulor som rullar runt i alla hörn av världen och stöter emot andra kulor som knuffar i väg oss åt olika håll. Om vi bara minns att nya vägar kan leda till personlig utveckling, så kan vi fortsätta befinna oss i vårt lugna tillstånd vad som än händer med våra vänskapsrelationer. Fortsätt rulla, fortsätt vara i rörelse, så kan du vara säker på att stöta in i en del riktigt fina kulor längs vägen.

UNDVIK ÖVERANALYS

Jag kommer ofta på mig själv med att bubbla av panik över saker jag sagt till vänner och bekanta. Det får mig att tappa förankringen och jag rusar i rakt motsatt riktning, i väg från lugnet. Faktum är att jag inte ens kan föreställa mig lugn i det tillståndet, för allt verkar förstorat och för intensivt för att jag ska kunna fokusera på de stabila sakerna i livet. Jag har slösat bort timmar, dagar och veckor på att oroa mig över samtal jag haft med vänner eller nystiftade bekantskaper och önskat att det gick att vrida klockan tillbaka. De flesta av incidenterna glömmer nog de övriga inblandade mer eller mindre omedelbart, men för mig brukar de spelas upp i en ändlös slinga och plåga mig gång på gång.

Att prata är mitt levebröd och jag får ut mycket av allmän kommunikation. Jag älskar att se hur idéer kan stiga från källor som verkar uttorkade och de magiska gnistor som kan antändas vid enkla meningsutbyten – då blir jag eld och lågor och tycker att livet känns spännande. Baksidan på medaljen är »förväntningarna«. Jag vill alltid att den där mänskliga kontakten ska vara lätt, positiv och flödande. Om jag tar det för givet när jag träffar någon kan jag gripas av nerver som tar död på min vanliga förmåga att tala om vad jag verkligen känner. Jag börjar försöka förutse vad andra vill att jag ska säga och tappar det naturliga flöde som finns i ärlig kommunikation. Jag avskyr när det händer och jag trasslar in mig i en knut av osäkerhet och rädslor. Jag får ångest för att de kanske inte kommer att gilla mig, kanske avfärdar mig för snabbt eller får mig att känna mig avvisad. Då verkar det mycket enklare att bara piggas upp av andras kärlek och vänliga ord än att gräva djupare och finna självacceptansen på egen hand. När jag drabbas av den paniken efter ett samtal försöker jag se tillbaka och komma ihåg att så länge det jag sa var uppriktigt och jag bara var mig själv är allt annat oväsentligt.

147

Genom åren har jag lärt mig att ta min del av ansvaret för hur livet omkring mig ter sig. Ibland tar jag på mig lite för mycket och utesluter alla andra i situationen helt och hållet. När vänskaper brakar samman, fnurror uppstår och konflikter blossar upp har jag en tendens att lägga hela tyngden på mina egna axlar och glömma bort att det var någon annan inblandad. För inte så länge sedan öppnade jag mig för en vän om de skuldkänslorna, och hon föreslog att jag skulle se det från ett annat perspektiv för att se om det kunde ta udden av dem. Först frågade hon om inte sakerna jag ångrade kunde ha fungerat som katalysator för andra att titta närmare på sig själva, att se saker som de behövde ändra hos sig själva. Det hade jag aldrig tänkt på, men jag kunde se ett uns av sanning i det.

Sedan undrade min vän också om jag inte hade agerat på ett visst sätt i de där ögonblicken för att jag drogs med i andras kaotiska tankebanor och obehagskänslor. Jag kunde se fragment av sanning i det också. Det betyder inte att jag kan lösgöra mig från konsekvenserna av samtalen och komma fläckfritt undan, men det ger mig absolut möjlighet att se vissa delar av min historia från en lugnare utgångspunkt. Jag försöker inte fly undan mitt eget ansvar, men jag känner mig lite lättare och mycket lugnare i frågan när jag har sett den från flera olika synvinklar (och det är ännu ett bra exempel på varför en väns perspektiv kan vara som en skänk från ovan).

Det jag har lärt mig av de här tillfällena är att »släppa taget«. Att veta att, jo, jag kunde ha sagt något ärligare, roligare, smartare, coolare eller försiktigare, men stunden är redan förbi, någon avsikt att skada fanns inte och jag har lärt mig något av det. Låt den där oron bara segla i väg mot solnedgången, för när man väl har lärt sig läxan har man ingen nytta av oron längre. Vi får inte slukas upp totalt av sådana ögonblick och identifiera oss med dem.

Om du verkligen lider av att överanalysera en händelse från förr kan du testa ett av ytterligare några konkreta knep som jag tagit till genom åren, knep som jag tycker är väldigt rogivande och definitivt tar mig tillbaka till lugnet. Ett är att skriva brev. Tänk på den där vännen eller bekanta personen och vad som gnager dig och skriv ner sakerna som du aldrig har sagt rakt ut. Säg förlåt, säg att du önskar att du hade skött det annorlunda, säg att du förlåter dem, säg att du kände dig sårad, säg att du är beredd att göra dig av med det där oket, bränn sedan brevet och känn ögonblicket gå upp i rök. Efter ett tag, och definitivt efter att vi har dragit de där lärdomarna, blir bagaget bara en besvärande skräphög som skymmer utsikten för vårt lugn. Det krymper sikten och dämpar hörseln så att vi inte hör ljuden i närheten. Vi behöver inte bära med oss den där ångern och gnagande känslan hela livet.

Ett annat sätt att komma till rätta med det här är att du föreställer dig personen det gäller. Gå till en lugn och tyst plats hemma och tänk dig att han eller hon sitter där och tittar på dig. Tala öppet och ärligt till personen och låt orden flöda – öva inte in dem, utan låt dem bara komma naturligt. Släpp ut orden ur din mun och ut i luften och låt dem nå långt bort från stället där du sitter. Du behöver inte hålla orden och oron fångna inom dig längre, så släpp ut dem i det fria tillsammans med ångesten de bär på. Det spelar ingen roll hur eller var du håller de här små ceremonierna, men de kommer att räknas och få dig att känna dig mycket lättare. Om du känner dig stark och balanserad kan du till och med försöka skicka ett brev eller prata med personen i fråga. Du kan berätta hur du faktiskt känner och att du ångrar dig och beklagar att du betedde dig som du gjorde och möjligen också ifrågasätta deras handlingar. Säg vad som helst som känns naturligt och gör dig lättad.

LÅT INTE FOLK UTNYTTJA DIG

Några av oss vill alltid vara andra till lags, en del blir utnyttjade, somliga är skygga och tillbakadragna medan andra högljudda och stolta. Var står du och kan du se tydligt vilken roll du spelar för människorna i din omgivning?

Människor som tar hela handen när man ger dem lillfingret kan vara svåra att hantera, vilket är en läxa jag har fått lära mig många gånger om. Jag tycker att jag är en hygglig person i största allmänhet och dessutom älskar jag att ge till andra. Jag får en enorm kick av att låna ut tid, energi och resurser till människorna i mitt liv som jag älskar, för jag anser att det utbytet är oerhört viktigt. Det har hänt några gånger genom åren att det har missbrukats, och det är något som jag fortfarande försöker hantera. Det har visat sig att jag inte är så bra på att sätta gränser. Att sätta gränser innebär att jag fortfarande fritt kan ge min tid och energi till andra, men att jag sätter stopp innan det påverkar mig för mycket.

Några bekanta till mig har tagit rejäla kliv över den gränsen genom åren, och jag blir alltid lika chockad, med tanke på hur obehagligt jag själv skulle tycka det vore att göra så. Återigen fungerar det som en stark påminnelse om att jag alltid bör vara tydlig med vad som gäller i de lägena. Om någon i ditt liv gång på gång bestämmer sig för att gå över gränsen och utnyttja vad det nu är du erbjuder, ta mod till dig och kommunicera att du inte kommer att dela med dig av din tid och energi i fortsättningen.

Ibland är det lätt att tro att forna misstag och vår historia definierar vilka vi är. Det är hög tid att vi verkligen kommer ihåg att vi kan **skriva vår egen historia**. Om det finns några minnen eller personer som du känner tar över dina tankar, skriv om det här och inse att det inte **definierar vem du är** – det är en historia som du kan formulera om.

GRUPPTRYCK

Jag tror inte på att vänskap måste bygga på likheter. Den behöver inte bindas samman av behändig geografi, synkroniserad ålder eller parallella bakgrunder. Alla viktiga vänskapsrelationer i livet särskiljer sig utan undantag genom den personliga kontakten. Den oförklarliga magi som får ut det bästa av er båda två och öppnar era sinnen för nya möjligheter.

Hur mycket vi än älskar våra vänner behöver vi inte tänka exakt som dem i alla lägen för att komma överens och göra vår resa genom livet tillsammans. Under årens lopp har jag pendlat mellan att hålla fast vid den tanken och att ifrågasätta den. Ibland inspireras jag av mina vänner och vad de gör, och att se hur motiverade de är har gett mig precis den knuff jag har behövt. Några av mina underbara vänner har nått sina personliga mål, visat enormt mod och stått för det de tror på, och det har fått mig att fokusera på beslutsamheten de visar och försöka ta efter den på mitt eget sätt. Det är en av vänskapens stora dolda dimensioner. Vi sporrar varandra utan att egentligen inse det. Vi inspirerar varandra, pushar varandra och påminner varandra om vår fulla potential.

Baksidan av det är att vi kan behöva gå emot strömmen. Bara för att den stora massan går åt ett håll betyder det inte att vi måste följa efter. Även om våra vänners agerande hyllas vitt och brett, är väl beprövade eller helt enkelt »normen« finns det ingenting som säger att vi måste hålla oss till stimmet. Jag älskar att gå emot strömmen, men det har tagit många år och massor av jobb med självförtroendet för att komma till den punkt där jag är nu och vet hur jag ska följa min instinkt.

Ett litet exempel på det är sättet jag lever mitt liv på för närvarande. Mitt liv är uppdelat i bara några få delar, varav den viktigaste är familjen.

Att umgås med min man, mina barn och styvbarnen och se till att famil-jemaskineriet är väloljat och rullar som det ska. Nästa segment är arbetet. Jag älskar mina många olika jobb och deras kreativa flöde – varje projekt tänder en låga i mig på nytt som gör att jag känner mig 100 procent levande. Därefter kommer vänner och fritid. För mig innebär det yoga, någon lugn lunch då och då med vänner, att måla, läsa och åka på utflykt. I tjugoårsåldern fanns ingenting jag älskade mer än att ta en stark gin och tonic i en stimmig bar, men den tiden är förbi – i alla fall tills vidare. Kanske kommer den tillbaka någon gång, men det där behovet att berusa mig och förändra mitt sinnestillstånd har gett vika i den period av livet jag befinner mig i nu. Nu känns tiden för dyrbar och fylld med andra saker för att jag ska kunna lägga till regelbundna fyllor och kaos till ekvationen. Några av mina vänner har accepterat det här nya flödet i mitt liv utan att ifrågasätta det, medan andra tycker att mina nya livsval är tråkiga. För mig kvittar det så länge jag vet att jag fattar rätt beslut för mig själv i det här skedet av livet. Jag vill ha energi över för mina barn och kreativt skapande, så att nattsudda med jämna mellanrum passar inte in i mitt liv just nu.

Det finns inga rätt eller fel, men något som man bör respektera är valen som andra människor gör. En del vänner kommer alltid att ge sig ut på vilda äventyr. Några kommer att skaffa familj, andra inte. En del kommer att ägna större delen av sin tid och energi åt saker vi inte förstår vitsen med – och förmodligen vice versa. Vi är alla olika och våra vägar skiljer sig åt av hundratals motstridiga anledningar. Det är det som gör det så kul att ha vänner.

Vi måste hålla huvudet kallt när folk i vänkretsen har idéer som inte stämmer överens med våra. Dras inte med i rädslan att missa något, för det har du ingenting för. Du har fattat beslutet att göra saker på DITT sätt, så stå fast vid det och njut av varje minut om du kan. Rädslan att missa något tar dig raka vägen ut ur ditt lugna, behagliga tillstånd, för du känner genast att du kanske gör något fel. Varför ska DU vara den enda som inte gör likadant som alla andra? För att du någonstans på vägen har valt att inte göra det. Du kommer att få ut det du behöver i din situation och dina vänner kommer att gripa tag i det de vill ha i sin. I slutänden är det att vara ärlig mot dig själv som kommer att ta dig till det där lugna tillståndet. Kom alltid ihåg att det inte är något fel med att gå emot strömmen. Det är faktiskt en av de mest befriande riktningar man kan ta.

Sammanfattning

LYSSNA.

Ibland är utifrån-perspektivet precis vad du behöver.

FINNS DÄR.

Se till att finnas där för dina vänner även om de inte lyssnar på dig.

GÅ DIN EGEN VÄG.

Gör ingenting bara för att andra gör det – sökandet efter lugn och lycka är personligt.

HUR SER EN LUGN VÄNSKAP UT FÖR DIG?

Skriv ett ord eller rita en bild här som sammanfattar det.

LUGNT ARBETE

En del av er får nog rysningar med en gång när ni läser den rubriken, medan andra säkert strålar av glädje. Arbete kan vara ett oerhört splittrande ämne och många gånger minerad mark. För mig känns det verkligen som att vinna på lotteri att få ha ett jobb som jag älskar. Jag kom på väldigt tidigt i livet vad jag gick i gång på inom det kreativa området och satsade allt på det, samtidigt som jag uppfostrades av två hårt arbetande föräldrar. Den kombinationen, plus lite magisk hjälp av slumpen, har gett mig en karriär som har varat i tjugo år så långt. Det är knappt så att jag kan fatta det själv, för jag har aldrig haft någon plan eller några storslagna fantasier. Jag har bara stretat på och gått efter det som har känts rätt i magtrakten. Det var många som försökte avråda mig och såg mina förhoppningar som rena drömmerier, men lyckligtvis var jag naiv/envis nog att fortsätta vad de än sa och har fått uppleva massor av äventyr genom åren.

JOBBSTRESS

Även om jag jobbar med något som känns väldigt tillfredsställande och kul betyder det inte att mitt arbetsliv har varit befriat från stress. Den har kommit i drivor. Ibland har drivorna tornat upp sig som ett berg, som varit så högt och förrädiskt att klättra i att jag tappat fotfästet, fallit baklänges och undrat om jag inte borde ge upp klättringen helt och hållet. I många stunder har jag velat ge upp och bara kasta bort allt mitt tidigare hårda arbete. Den reaktionen grundas alltid på stress.

Numera är jag fullt medveten om att jag är en showbiztyp som inte behöver få skit under naglarna, som min underbart hårt arbetande pappa får hela dagarna. Jag behöver inte fatta beslut i frågor om liv eller död och inte heller ta ansvar för ett helt arbetslag. Ändå har min stress kommit i märkvärdiga former och storlekar och ibland känts kvävande. Du kanske inte känner igen dig i alla punkter på min personliga lista över stressfaktorer på jobbet, men jag är säker på att en del likheter och kopplingar finns till saker du upplever oavsett vilket jobb du har valt att syssla med. Men först ska jag ta dig tillbaka till platsen där allt började.

MIN EGEN JOBBSTRESS

Jag är femton år och sitter i ett väntrum med filtklätt golv tillsammans med ungefär femtio andra tjejer i min ålder. Alla ser mycket mer utåtriktade och självsäkra ut än jag och är mycket snyggare. De har inget tonårshull och verkar ha betydligt mer sofistikerad klädstil. Jag var rätt stolt över min trenchcoat i plast från Wembley Market och mina manchesterbyxor tills jag kom in i detta rum fullt av små Britney Spears-kopior. Jag hade varit på flera provspelningar före denna, men här kändes det som om jag var ute på djupt vatten. Jag visste inte ett dugg om vad det innebar att vara programledare, vilket var vad den här rollen handlade om. Man kan lugnt säga att jag bluffade mig igenom min audition till 100 procent. Jag antar att jag gjorde det för att jag inte blev så stressad av sådana situationer när jag var yngre, för jag präglades av en evig optimism som grundades på att jag inte hunnit vara med om så många besvikelser i livet. Visst kände jag av nerverna, men medvetenheten om vad andra hade för åsikter om mig var minimal jämfört med hur det skulle se ut senare.

När jag fick jobbet på *Disney Club* var ett av de bästa ögonblicken i min karriär. Ren, skär och ouppblandad glädje. Jag hade blivit godtagen i den svårflirtade TV-klubben och brydde mig inte om vad det innebar så länge jag kunde hålla foten kvar i den paljettklädda dörren. Jag lyckades ligga i och klara mig igenom detta märkliga nya liv samtidigt som jag gick ut gymnasiet, sedan gick jag vidare från detta barnprogram till några andra. Jag var inte den bästa som gjorde audition den dagen, men jag gav allt och gick efter det som kändes rätt just då. Jag har försökt hålla mig till den grundprincipen i den mån det har gått genom åren och alltid försökt hitta tillbaka till det om jag har känt att jag tappat flytet: det enda man kan göra är sitt bästa för dagen.

Stressen kom senare. Jag tror att det var den vådliga kombinationen av pressens bevakning av mig och de sociala mediernas antåg som gav mitt älskade jobb ett nytt inslag som jag inte riktigt visste hur jag skulle hantera. Ärligt talat vet jag fortfarande inte det. I det skedet av karriären, när jag stadigt jobbade på men var för ung för att acceptera den jag verkligen var, kände jag att jag inte riktigt dög. Jag slets från mitt tillstånd av lugn och jämförde mig med alla andra tjejer på TV. Jag blev ombedd att byta klädstil av en producent som lagt märke till min naturliga förkärlek för maskulina kläder. En annan producent bad mig tala med

158

aningen mjukare tonfall. Det var massor av personer som talade om för mig att jag inte dög som jag var.

Då började jag se på tjejen från Londons nordvästra förorter med pojkflickig stil och rackade ner på henne på alla sätt jag kunde. Denna nya fallgrop gjorde att jag inte kunde se något bra hos mig själv, för det verkade ju ingen annan göra. Om jag inte fick ett jobb som jag ville ha kände jag mig värdelös. Och när internets makt blev större och någon var elak mot mig på nätet kände jag en avgrund vidga sig i maggropen. Ett nytt ihåligt tomrum som viktes för självförakt och hat. Hela min självkänsla stod och föll med vad andra tyckte – jag hade varken självförtroende eller identitet utan deras godkännande. I de stunderna var lugnet oerhört långt borta. Jag var fortfarande väldigt ung och hade blivit kritiserad, objektifierad och avfärdad så många gånger, och jag visste inte hur jag skulle bearbeta det som egentligen hände.

KÄNDISSKAPETS VERKLIGHET

Varje gång jag hör ungdomar säga att de vill bli kända får jag kalla kårar. Har kändisskapet över huvud taget någon betydelse i dag? Det för i alla fall inte med sig samma glänsande Hollywoodskimmer som förr i tiden. Det omgärdas knappt av någon helig mystik eller fantasi alls nu för tiden. Vi vet redan allt, eller åtminstone tror vi att vi gör det. Nu vill jag bara klargöra ett par saker innan jag fortsätter med detta mycket välbehövliga gnäll. För det första är jag inte Beyoncé och kan glatt strosa fram längs huvudgatan i mitt område så gott som ostörd. För det andra vet jag att det finns betydligt viktigare saker att klaga på, men med hänsyn till en stor del av den yngre generationen som växer upp och exponeras för så mycket tycker jag ändå att det förtjänar en liten skopa. För det tredje är jag mycket väl medveten om att jag tidigare i karriären har lett program som uppmuntrat meningslöst kändisskap. Jag bär inget ansvar för dem som var med i programmet och ville eller trodde att de ville bli kända och jag hade faktiskt väldigt kul när vi gjorde de programmen. Sedan dess har lärdomar dragits och människor förändras. Så om vi går vidare… Jag började inte med TV för att bli känd. Jag hade ingen uppfattning om vad det betydde utöver att alla mina vänner och jag var förälskade i en kille som hette Leonardo DiCaprio som vi var fullt på det klara med att vi aldrig skulle träffa. Jag började med TV för att jag älskade allt som hade med det att göra. Surret, energin, spänningen, att kanske få resa runt i världen, alla nya människor. Jag ville det på grund av de sakerna. Kändisskapet kom gradvis, sakta men säkert, och jag har haft tjugo år på mig att vänja mig vid tanken, men jag behöver faktiskt spräcka några myter som omger det för att tydliggöra min poäng. Att vara känd innebär inte att man befrias från oro, smärta eller stress. Det ger inte den där skimrande känslan av att ha presterat något, för de båda sakerna har ingenting med varandra att göra. Det medför inte att man blir mer nöjd med sig själv eller mer tillfreds som människa och det ger ingen glamour, även om det ibland faktiskt kan föra en till spännande människor och platser. Nu ska jag tala om exakt hur kändisskapet känns för mig. Tänk dig att du går på en grusväg och njuter av solskenet och de vackra vyerna. Till vänster om dig står ett taggtrådsstängsel som du inte riktigt tagit notis om medan du andas in den friska luften och tar in färgerna runtomkring dig. Men så plötsligt väcks du ur ditt fridfulla sinnestillstånd av högljudda, plötsliga hundskall. Du tittar åt vänster och där står tjugo hundar på bakbenen med tassarna mot stängslet. Med käftarna vidöppna skäller de på dig för allt vad de är värda. Du vet att de inte kan nå dig eller skada dig fysiskt på något sätt, men det är obehagligt och enerverande. En konstant stirrande blick, förutfattade meningar och ofta missriktade angrepp grundade på vilseledande information.

Den aspekten av mitt jobb gör mig fortfarande ganska stressad, men nu försöker jag ägna mindre uppmärksamhet åt den. Jag kan inte påstå att jag är helt immun mot bieffekterna av denna exponering, men jag är absolut tillräckligt tillfreds med mig själv för att må bra utan andra människors ständiga godkännande. Jag säger det inte för att få sympati, utan försöker bara förklara vad allt egentligen handlar om. Kändisskapet är inget jag tänker på alls i min vardag. Det är först när jag uppmärksammas på kritik från utomstående eller utsätts för angrepp som jag över huvud taget tänker på det.

STRESSPUNKTER

En annan aspekt av mitt jobb som jag inte kan finna lugn i är att bli intervjuad. Jag har verkligen problem med det. Innan journalisten ens har öppnat sitt anteckningsblock känner jag svettningarna sätta i gång. Återigen är jag fullt medveten om att det inte handlar om liv och död och att jag verkligen borde spara »kamp eller flykt«-läget till något betydligt mer kritiskt, men jag tycker att hela situationen är så fruktansvärt obehaglig. Några av journalisterna som intervjuat mig har varit jättefina och skrivit rättvisa och insiktsfulla artiklar, men det fåtal som har grillat mig och förvrängt mina ord har gett mig en sådan bitter eftersmak att den knappt går att skölja bort. Jag är på helspänn och vet att vartenda ord jag säger och varenda rörelse jag gör noggrant uppmärksammas och utvärderas. Antaganden görs och slutsatser dras av minimala informationsfragment som betraktas med bara ett par ögon. Jag sänds tillbaka till skolan när jag var tretton och inte visste hur ett visst ord stavades medan dessa undantagslöst välutbildade människor sitter och frågar ut mig för att klura ut om jag »duger«. Jag vet att det egentligen inte är vad de gör, men det är en ovana jag har att falla in i sådana tankebanor. Det tar jag fullt ansvar för. Men hur som helst är jag livrädd för att mina ord ska förvanskas och ha en ny mening när de når diktafonen och att mina sanna historier och idéer i stället ska präglas av förhastade omdömen när de väl sätts på pränt. Jag vet inte om jag någonsin har känt mig lugn under en intervju, men än sen – bara ytterligare en utmaning att ta itu med.

Oavsett vilket jobb man har tror jag att det alltid kommer att finnas svaga punkter som tar oss bort från lugnet, även om det är ett arbete man älskar. Det finns delar av min karriär som jag glider in i med en lätthet och sorglös inställning som ger mig möjlighet att göra mitt bästa. När jag skriver känner jag mig så glad och nöjd och väldigt lite stress ger sig till känna över huvud taget. Jag vet att jag inte är bäst i världen på att skriva, men det surrar i ådrorna av blodet som pumpar när flödet sätts i gång. Oslagbart. När jag gör radioprogram känner jag mig accepterad och välkommen och jag älskar relationen jag får med lyssnarna. Jag uppskattar verkligen den roliga sidan av sociala medier och hur de ger mig tillfälle att tala med massor av människor som engagerar sig i det jag gör och höra vad de har för idéer. Det känns som områden där jag är trygg och i viss utsträckning har kontroll.

När jag gör TV har jag inte alltid den lyxen. Det kan ha att göra med att det känns så enormt exponerande att bli sedd OCH hörd, till skillnad från när jag sitter i min bekväma radiostol och kan gömma mig bakom en gigantisk mikrofon och bra låtar. Jag blir också akut medveten om hur otroligt duktiga andra programledare är och hur bekväma de verkar vara framför kameran. Trots att jag har jobbat med TV i tjugo år känner jag mig ibland fortfarande ur balans när kamerorna börjar rulla. Den känslan ger vika när de första minuterna är avklarade och jag har kommit in i det, men till att börja med tappar jag lugnet.

NÅGRA KNEP FÖR
ATT BLI MER SJÄLVSÄKER

Jag vet att massor av andra i branschen också får rampfeber, även några av de mest erfarna underhållarna. Jag har haft många diskussioner om hur man kan tygla den nervösa energin och vända den till något positivt, och här kommer några knep som kan hjälpa dig att samla ihop energin och få den att driva dig dynamiskt i stället för att göra dig statisk i strålkastarljuset, vilket kan medföra att du blir mer alert och lite mer skärpt just när du behöver det som mest.

Alla de här knepen kan användas i de flesta yrken, inte bara i nöjesbranschen. Om du måste prata inför kollegor på jobbet kanske du har upplevt samma hjärtklappning. Att tala offentligt kan kännas kolossalt onaturligt, och i sådana lägen är det nästan omöjligt att känna sig lugn. En sak som jag alltid försöker minnas är att rummet jag talar inför inte fylls av människor som väntar på att jag ska göra bort mig. Det är betydligt mer sannolikt att de vill mig väl eller hoppas kunna få ut något av det jag säger. Om vi utesluter möjligheten att alla vill att vi ska misslyckas har vi en god chans att återta kommandot med självförtroende och lugn. Det påminner en hel del om den klassiska frasen »föreställ dig publiken naken«, som går till själva essensen i den inställningen. Alla är vi mänskliga, alla har vi samma kroppsdelar under de här avledande plaggen, och alla gör vi utan tvekan misstag. De som dömer oss snabbt och utan eftertanke erkänner inte sina egna snedsteg och missöden i livet, men lever i en väldigt snäv och inskränkt tillvaro. Minns denna sanning i situationer då du behöver tala inför andra eller när du känner att du blir kritiserad för dina ansträngningar. Det är ett bra knep i jobbintervjuer också!

Att sakta ner tempot på allting en aning är också ett bra knep när du känner nerverna krypa in i tidigare lugna utrymmen. Adrenalin och rädsla jagar upp oss till vår maxfart, så att misstagen blir fler och vi får svårt att andas. Saktar du ner rörelserna och talet kommer ditt pumpande hjärta förhoppningsvis att göra likadant, och då kommer du att låta mer kontrollerad och framstå som mer självsäker. Ta dig tid att fokusera på orden du uttalar och håll andetagen långa och stadiga. Det är mitt fokus på jobbet – ofta!

PRIORITERA

När jag fick mitt första barn, Rex, ändrades mitt perspektiv radikalt och stressmomenten skiftade enligt mitt nya sätt att tänka. Jag hade mindre tid att oroa mig över vad andra tyckte om mina val och mina tabbar på jobbet, medan jag nu däremot lade enormt stor vikt vid hur jag fördelade tiden. Att finna den balansen i livet får fortfarande mitt ansikte att blossa upp och mina muskler att stelna. Jag vill inte svika mina barn och jag vill inte misslyckas på jobbet. Denna ständiga balansgång får mig ofta att känna att jag misslyckas på samtliga områden, vilket jag vet är något som många föräldrar känner igen sig i. När jag fick Rex blev jag tvungen att göra en del förändringar för att underlätta pusslandet en aning, och det var inte lätt. Jag tampas med det än i dag, men nyligen fick jag faktiskt lite av en uppenbarelse.

Under skrivandet av denna bok har jag gjort en mycket mer detaljerad inventering av min stresshantering och orsakerna till att jag tappar lugnet. I samma stund som jag slog igen datorn efter att ha slutfört det första fullständiga utkastet till boken var en ny lärdom på väg att ta form. Jag hade trott att jag vid det laget skrivit ner de flesta av mina tankar i ämnet och gått på djupet med min personliga uppfattning om stress och lugn, men den helgen skulle en helt ny tankebana öppna sig.

Min man var bortrest med jobbet och jag tog hand om alla fyra barn ensam. Jag älskar när det är fullt i huset och att se mina barn och styvbarn blandas huller om buller i en frenetisk men ändå harmonisk enhet. Jag känner en sådan underbar glädje när huset dånar av stoj och kärlek, men den motsvaras av en lika överväldigande bävan för det stundande kaoset. Det är oundvikligt – massor av måltider ska lagas, högar med disk ska diskas, en hel del osämja, varierande sysslor och mycket städning (även i detta galna kaos måste jag hålla sidoborden glänsande rena, jag kan inte rå för det!) och mitt i alltihop försöker jag hålla liv i min karriär. I detta ögonblick av bävan slog det mig att när jag tappar lugnet beror det i nio fall av tio på att jag försöker bekämpa kaoset. Jag söker lösningar för att minska kaoset, försöker göra brandkårsutryckningar mot familjelivets röra och stök, eller så försöker jag reda ut den allmänna anarki som uppstår när fem personer med väldigt olika viljor befinner sig i huset. Denna omöjliga uppgift driver mig ibland till vansinne. Jag börjar dagen i full stridsberedskap, redo att slå ner på varje soffläck eller kiv om leksaker med mitt eftertryckliga behov att kontrollera allt. Men jag har insett att sättet som de här fyra underbara människorna i mitt liv för sig på inte kommer att förändras. Inte en chans att deras sociala begär, kostbehov eller spontana tankar kommer att anpassa sig snyggt och prydligt till varandra, så det är faktiskt upp till mig att ändra inställning till alltihop.

BEJAKA KAOSET

Det var då den skriande självklara tanken slog mig att jag måste »BEJA-KA KAOSET«. Jag måste ställa ifrån mig rengöringsmedlet och andra kaosbekämpande vapen och acceptera allt som barnen för med sig. Kanske kunde jag till och med lära mig att njuta av det? Inte bara röran utan den surrande energin i ett hus fyllt till brädden av individer. Den energin kunde förr kännas betungande och få mig att känna att jag inte fick någon tid för mig själv. I rent praktisk mening kanske det är så, men tänk om jag ändå kunde finna de där ögonblicken mitt i allt kaos. Tänk om jag kunde uppskatta vad det gav mig att vara en del av detta maniska familjeliv. All glädje, kärlek, lärdom och underhållning det gav att ha en sådan underbart stor och härligt kaotisk familj.

Jag gav det en chans. Min makes flygresa hem blev en dag försenad, så jag fick ännu mer tid att öva på det och njuta av belöningen. Med min nya mentala inställning avtog stressen, den hektiska stämningen kändes hanterbar och jag njöt av nästan allt. I stället för min vanliga strategi att försöka bygga en flotte att flyta över vågorna med, så dök jag bara i med huvudet före. Det är SÅ mycket mindre utmattande, och det blir mycket enklare att finna vägen tillbaka till lugnet när man inte jagar det så desperat.

Brandkårsutryckningen har varit min standardtaktik när det känts kaotiskt i pusslandet med jobb och familj, men nu försöker jag i stället acceptera kaoset, och jag kommer allt närmare ett lugn i dessa situationer. Alla söker vi förtvivlat efter lite lugn, men kanske måste vi lära oss att fullt ut acceptera kaoset först?

BALANS MELLAN
ARBETE OCH FRITID

Att göra stora förändringar i arbetslivet kan vara olidligt – även om man vet att man gör det för att må bättre – för det är så många faktorer att ta med i beräkningen. Den som älskar sitt jobb bekymrar sig över att gå ner i arbetstid eller byta uppgifter och är rädd att inte få fortsätta. Den som avskyr sitt jobb och hemskt gärna vill se förändring bekymrar sig över att få mat på bordet och råd att betala räkningarna. Ibland är det vanans makt som styr. Som en baksmälla efter mina tidigare arbetsmönster kan jag inte se en vecka i kalendern med knappt något inbokat utan att känna att karriären glider mig ur händerna. PANIK!

Stundtals kan man känna sig låst och nedtryckt av bristen på alternativ för framtiden. Om du inte kan sluta på ditt jobb eller byta uppgifter just nu, finns det någon på arbetsplatsen som du kan prata med som kanske förstår precis hur du känner dig? Kan du ägna dig åt en hobby eller någon sorts kreativ flykt på fritiden som motvikt till arbetet? Det är ganska många av mina vänner som numera har jobb vid sidan av som inte känns som arbete över huvud taget. Det är hobbyverksamheter som ger lättsam avkoppling från deras heltidsjobb, men också lite inkomster. En vän har en heminredningsblogg, en driver en firma för specialbeställda kläder hemifrån och en utbildar sig till yogalärare. Ibland kan det rent av hjälpa att bara söka nya jobb eller se sig omkring efter något nytt, även om det inte känns som ett realistiskt drag just nu. Lägg fram de här idéerna och tankarna för att sondera terrängen och se hur andra möjligheter får dig att känna.

Hur balanserat anser du att ditt liv är? Jobbar du alldeles för mycket och låter resten av livet bli lidande? Tillåter du dig själv att bli stressad av det? Är du arbetsskygg för att du är rädd att misslyckas eller helt enkelt inte vet vad du vill ha ut av det? Skriv ner vad du tror upptar mest av din tid i den tyngre vågskålen och lägg alla andra aktiviteter i den andra. Titta sedan närmare på hur du skulle kunna balansera dem bättre.

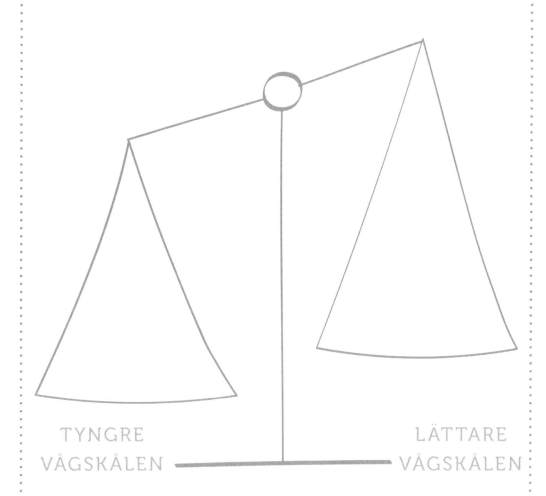

TYNGRE
VÅGSKÅLEN

LÄTTARE
VÅGSKÅLEN

INGENTING ÄR OMÖJLIGT

Här kommer en utmärkt historia för alla som vill göra en stor förändring och behöver lite extra självförtroende för att ta klivet. En av mina underbara vänner, Justine Jenkins, jobbade i City-området större delen av tiden mellan tjugo och trettio. Hon jobbade hårt. Långa arbetsdagar jäktade hon runt i den galna finansvärlden, hade knappt någon fritid och behövde ständigt försöka hänga med i det höga tempot i finanskvarteren. Innerst inne hade hon alltid velat ha något annat, men hon visste inte var hon skulle börja. Det hon verkligen brann för var makeup och kreativa saker, vilket framstod som ljusår från hennes dåvarande arbetsplats med alla siffror och hyperstressig miljö. Hon hade ingen utbildning eller erfarenhet av makeupvärlden, så till att börja med var tanken att göra det till hobby. Hon lyckades övertala en teater i området där hon bodde att låta henne praktisera hos dem på fritiden. På grund av det hårda trycket på hennes hysteriska arbetsplats skulle hon behöva avsätta tid för det antingen i slutet av de långa dagarna eller på helgerna. Men tack vare passion och ren drivkraft fick hon sin hobby att ta överhanden genom att prata med folk i branschen och skaffa sig mer erfarenhet, vilket i sin tur gav hennes självförtroende ett lyft. Hon visste att om hon lämnade finanskvarteren skulle det innebära väldigt liten inkomst under en okänd period framöver, men hon trodde att det skulle vara värt uppoffringen. Hon hade lyckats spara en del och hade så att hon klarade sig, och till sist hängde hon av sig sin åttiotalsdress med axelvaddar och med dem en hel hög med stress. Nästa kapitel i hennes liv bestod av några hundår, men det var lyckliga hundår. Det var dåligt betalt, obefintlig försäkring, men ren glädje. Hon älskade varenda minut av den kreativa processen, och tack vare tiden och energin hon satsade på sitt nya yrke började hon känna att hon kom någonstans. Snart landade hon på flera inspelningar av stora filmer och TV-program och jobbade sida vid sida med många som hon tidigare bara hade beundrat på avstånd. Inkomsten kunde fortfarande inte mäta sig med lönen hon fått i finanskvarteren, men betalningen i form av livsbalans och minskad stress var ovärderlig. Nu jobbar hon regelbundet för tidningar och TV, får ständigt nya uppdrag och har lojala fans. Det var verkligen en enorm chans hon tog utan skyddsnät ifall allt skulle gå fel, men hon gick på sin magkänsla och gjorde som hennes hjärta sa åt henne att göra.

Jag gjorde själv en enorm förändring i mitt liv när jag slutade på Radio 1. Hur mycket jag än älskade det jobbet och vilken ära det än var att ha positionen jag hade, så kände jag att det fanns mer att upptäcka i världen och andra sätt att uppleva ett kreativt flöde. Det hade varit ett glimrande äventyr att få intervjua så många spektakulära artister och få se så många konserter i världsklass. Bara själva tanken att sluta kändes absurd, men det kliade i mig. Först bara lite grann, men snart var det som om någon nöp tag i min arm och sa åt mig att jag måste byta spår. Jag visste att pressen på mig att inte säga ett enda fel under tre timmars prat varje dag höll på att ta ut sin rätt, dessutom behövde jag en tids tyst semester från min egen röst och rädslan att göra bort mig offentligt. Jag var medveten om vilken risk jag tog, med tanke på att jag hade ett litet barn att ta hand om och ingenting alls att falla tillbaka på. Ingen skulle kunna ta mig ur knipan om det fallerade totalt. Men jag gick ändå på magkänslan och sa de avgörande orden rakt ut. »Jag ska sluta.« Denna korta mening bemöttes med alla svar man kan tänka sig. »DU ÄR GALEN!« »Varför ska du lämna ett så tryggt jobb?« »Tänk om du aldrig kommer att jobba igen?« »Du kan bli av med din ställning i musikbranschen för alltid.« Varje gång kände jag mig bombarderad med terror. Den från början lugna tanke som slumpmässigt dykt upp i mitt huvud dagen då jag bestämde mig för att sluta kändes plötsligt avlägsen. Just då hade beslutet om förändring känts avslappnat och förnuftigt snarare än vilt och galet, men alla reaktioner fick mig nu att tappa tron på det fullständigt.

Att ha drömmar är inte dumt eller orealistiskt. Alla förtjänar att ha drömmar och att tro på dem. Det betyder inte att vi kan räkna med att de ska gå i uppfyllelse snabbt eller ens på det sätt vi hade tänkt oss, men ändå... ingenting är omöjligt! När du väl har en klar bild av vad din dröm består av, så kan det vara himla kul att röra sig en liten bit närmare den. Skriv vad ditt viktigaste mål eller din viktigaste dröm är högst upp på trappan, skriv sedan ner några saker som du tror kan leda dig i rätt riktning på trappstegen upp till drömmen.

MIN DRÖM ÄR...

Det första halvåret efter att jag slutade kändes samtidigt både befriande och miserabelt. Jag såg framtiden som ett oskrivet blad, som när jag vaknade på rätt sida kändes fascinerande och lockande men när jag vaknade på fel fylldes av dyster domedagsstämning. Det okända kunde dyka upp antingen som en charmerande vän med massor av idéer eller som en skum figur utan tillfällen att erbjuda. Det är chansen man tar när man gör stora förändringar, men hur man bearbetar den oron och hur man strävar vidare blir nu viktigare än någonsin. Jag lärde mig hur viktigt det är att fortsätta vara positiv och tro på sig själv, och att språng ut i det okända kan leda till nya roliga platser.

Jag fann lugnet de där första månaderna genom att göra det jag älskade – att vara kreativ. Jag fortsatte skriva även om ingen läste vad jag skrev, jag fortsatte måla även om mina målningar aldrig lämnade köket och jag talade om idéer och drömmar som om de med 100 procents säkerhet skulle förverkligas. Det var en bra grogrund för positiva känslor.

Nu ser jag tillbaka på den perioden med en känsla av lättnad, för nu jobbar jag med flera projekt som får huden att pirra av entusiasm när jag tänker på dem. Det kanske inte är allas grej, men det som jag brinner för är att skriva och skapa. För andra kanske det handlar om siffror och problemlösning. Det kan vara träning och friluftsliv. Barnpassning eller undervisning. Även om du inte har listat ut vad du går i gång på finns det med största säkerhet någonting där ute som någon gång kommer att kännas rätt för dig. Det spelar ingen roll vilken titel jobbet har eller hur stort det är – det är vad det ger dig som har betydelse. När folk frågar vad jag försörjer mig på nu för tiden har jag inget svar att ge. Jag har ingen titel eller några hedersutmärkelser som placerar mig i en enskild kategori, och det är helt okej. För mig ÄR det lugn. Det är inte titlar, makt eller hedersutmärkelser det handlar om, utan om ren njutning. Känner du att det är möjligt att finna ditt lugn på jobbet, om inte nu så kanske senare? Kanske genom en förändring, eller att du tar reda på vad du verkligen älskar och lägger till det vid sidan om det du redan gör? Våra föreställningar om vad lugn på jobbet är lär variera ordentligt, så lyssna till hjärtats röst och du ska finna svaret.

VAR ÄRLIG

Jag har förstås haft perioder då jag inte varit stormförtjust i alla projekt jag deltagit i. Det har hänt att program som jag valt att delta i aldrig känts riktigt rätt. Det var när jag grep tag i tillfällen för att jag var rädd att halka efter andra och kände att det var den sortens jobb jag BORDE göra. Det är motsatsen till lugn för mig.

Dessutom jobbade jag med folk som jag inte drog jämnt med och kämpade med kaoset som genereras av sådana samarbeten. Om chefen är en översittare eller en av kollegorna komplicerar saker på jobbet kan det kännas omöjligt att stå fast vid det man tror på. Konfrontationer på arbetsplatsen är inte min starka sida. Orden liksom fastnar i strupen och halsen blossar upp som fyrverkerier på väg att skjutas upp. Ibland tenderar jag att vara folk till lags och därmed kompromissa med mina egna övertygelser för att undvika jobbiga situationer. Det är aldrig någon bra idé. Att vara ärlig mot människor i omgivningen, om det så betyder att man måste ta det där hemska samtalet, är alltid ett bättre alternativ än att lägga bitterhet och stress på hög.

En gång hade jag en kollega som jag inte alltid kom överens med. Jag är säker på att känslan var ömsesidig, för vi hade väldigt olika idéer och uppfattningar i ämnen som hade med jobbet att göra. Jag var mycket yngre, så jag tyckte inte att jag hade tillräcklig pondus för att gå emot besluten som fattades för min räkning. De ord och motstridiga åsikter som jag så förtvivlat gärna ville framföra gick upp i rök bara några sekunder efter att jag stigit in genom dörren till jobbet. I stället blev jag frustrerad över den personen och vår relation blev stel. I ärlighetens namn angrep vi situationen på fel sätt båda två, utan vare sig kompromisser eller konstruktivitet. Det bäddar inte alls för en lugn arbetsmiljö.

Nu har jag blivit bättre på att säga vad jag tycker. För den skull behöver jag inte vara elak eller onödigt frispråkig, utan jag är helt enkelt ärlig och autentisk i ord och handling. Jag har märkt att det upplöser stressen lite snabbare. Om jag pratar ärligt, hur svårt det än kan vara, kan jag släppa den där stressen som så småningom troligtvis skulle övergå i förbittring. Det har tagit nästan tjugo år för mig att komma till stadiet där jag känner att jag kan spänna de musklerna, men vad jag har lärt mig är att det tar bort oerhört mycket stress från situationen. De uppriktiga orden kanske bemöts med upprörda eller rent av ilskna reaktioner, men reaktionerna kommer definitivt att skingras efter att kollegorna har smält dina ord och tagit till sig dem med viss respekt.

Dessutom kanske dina arbetskamrater eller din chef genast blir imponerade eller förvånade av din uppriktighet, vilket skulle kunna leda till att nya relationer knyts och fräscha arbetssätt uppstår. Är du ärlig blir allt detta möjligt! Vi ska alltid komma ihåg att människorna i vår omgivning som verkar mäktiga och starka inte är ett dugg annorlunda än vi. De började på ungefär samma nivå som vi och har en gång själva haft chefer och kollegor som var ännu mer arroganta än de. Man behöver aldrig vara elak eller cool för att ta sig dit man vill. Man kan vara balanserad och lugn och nå sina mål precis lika lätt. Faktiskt lättare – för välviljan sprids som ringar på vattnet som folk i omgivningen inte kan undgå att ta till sig. Det bäddar för en väldigt lugn arbetsplats.

174

Även om du älskar ditt jobb finns det antagligen saker som går att förbättra. Och om du avskyr ditt jobb finns det ALLTID saker att förbättra. Vad känner du att du får ut av ditt arbete för tillfället och vad skulle du vilja ha mer av?

· ·

· ·

· ·

· ·

· ·

· ·

· ·

· ·

· ·

· ·

· ·

HEJ TILL WOO...

När jag var i tjugoårsåldern ägnade jag en hel del tid åt att pendla mellan min hemstad London och Los Angeles, där jag jobbade med flera olika projekt som jag fick pussla ihop med karriären på hemmaplan. Det var en omtumlande period i mitt liv som jag ser tillbaka på med stor värme, en äventyrlig och spontan tid som ledde till möten med några briljanta personer som blivit vänner för livet. En av dem är Dr Woo, den legendariske tatueraren, med en väntelista som är näst intill omöjlig att ta sig in på och med en stil som eftertraktas över hela världen.

När vi träffades en het, myllrande natt i Los Angeles i en fullsmockad bar hade Woo just börjat sin karriär som tatuerare genom enstaka uppdrag på den välkända och omtyckta tatueringssalongen Shamrock Social Club på Sunset Boulevard. Han hade inte mycket erfarenhet då, men en kolossal drivkraft och passion.

Tatueringskungen själv, Mark Mahoney, tog honom under sina vingar. Marks skicklighet och säregna teknik är vida känd och han har gjort flera av mina tatueringar, prytt min hud med så lätt hand att det nästan ser ut som blyertsskisser. Mark är en sådan där otroligt spännande karaktär som inspirerar människorna omkring sig och berättar historier om undergroundscenen i Los Angeles utan att avslöja alltför mycket om sin egen bakgrund. Mystiken och magin ligger tät när han är i närheten. Han ser ut som en femtiotalsgangster men uppför sig hövligt som en snäll pirat i en tecknad film. Han såg Woos potential och målmedvetenhet och gav honom tiden och utrymmet han behövde för att utvecklas som tatuerare och skicklig konstnär på egna ben.

Woo arbetade oförtrutet år efter år för att lära sig hantverket. Han var Marks lärling och högra hand medan Los Angeles-scenens kändiselit tatuerades – observerade ständigt, sög hela tiden i sig lärdomar.

Tack vare sin disciplinerade energi och fokus har han blivit en av vår tids mest eftertraktade tatuerare. Han har satt sina alster på i stort sett varenda tatuerade kändis och har utvecklat en unik stil så att folk alltid kan känna igen en »Dr Woo«. Han har varit så kreativ och skicklig att han kan resa runt jorden med jobbet och att hans eftertraktade tatueringar benämns som konstverk.

Jag har återvänt till Los Angeles många gånger genom åren för att träffa Woo och imponeras varje gång av hur han har hanterat sin otroliga färd mot berömmelsen. Han har klivit lugnt in i detta nya territorium, som familjefar och alltjämt stadigt med fötterna på jorden. Vi inledde våra karriärer ungefär samtidigt och jag tror att vi har samma perspektiv på arbetet och livet och vikten av att hålla balansen mellan alltsammans. Han är ett klassiskt exempel på någon som stigit till toppen utan dramatik eller större ståhej, vilket visar att man kan bli framgångsrik och få massor av kärlek utan att armbåga sig fram. Jag tyckte att Woo verkade som den perfekta personen att prata med om framgång, målmedvetenhet och att hålla sig lugn mitt i alltihop.

F: Hej Woo, jag har känt dig i mer än ett decennium nu och det har varit så kul att se din karriär skjuta i höjden. När vi träffades första gången jobbade du på Shamrock Social Club med en nybörjares erfarenhet men storslagna drömmar. Trodde du hela tiden att du skulle bli bäst och så eftertraktad när du började?

W: Jag trodde egentligen aldrig att jag skulle komma så här långt och befinna mig i den här situationen… men jag visste hela tiden att jag skulle göra mitt bästa och jobba hårt vad som än hände och att det skulle leda till något stort, vad det nu än var. Det har alltid varit mitt motto, och jag känner mig lyckligt lottad som fått se det bli verklighet.

F: Du har alltid varit väldigt fokuserad och hängiven. Tror du att det är därför du har blivit så populär och fått så hög status i tatueringskretsar?

W: Ska jag vara ärlig tror jag att det handlade om bra tajming med fram-
växten av sociala medier, att jag är uppriktig i det jag gör och omtolkningen
av tatueringar som vi var vana att se. Estetiken väckte intresse, och den
digitala världen spred verken.

F: Hur reagerade folk omkring dig när du började bli framgångsrik?
Började några av dina vänner tassa på tå? Var det någon som började
behandla dig annorlunda?
W: Alla mina närmaste vänner och min familj stöttade mig och var väldigt
entusiastiska. De var glada att positiva saker hände mig och det har jag alltid
varit tacksam för. Men som alltid är det några som stör sig på det och det
gör inget... jag fattar. Men de allra flesta har varit jättefina.

F: Trots att du står på höjden av din bana verkar du ha hållit dig väldigt
lugn på hela din resa mot toppen. Du har aldrig framstått som en gåpåare
eller verkat desperat efter framgång, utan allt har skett med synbart lugn.
Är det så det har varit i verkligheten?
W: Jag vill nog gärna tro det i alla fall! Men ibland handlar det inte ens
om att kämpa för att lyckas eller att ständigt anstränga sig för att nå
toppen. Jag har helt enkelt bemödat mig med att göra det allra bästa av
mitt arbete och bli nöjd med mig själv. Om de här grejerna gör mig lycklig
och min familj mår bra så räcker det när allt kommer omkring... de stora
möjligheter som sedan kom är, som jag ser det, möjligen ett resultat av
det arbetet och de belöningar som det ger.

F: Hur håller du dig lugn när du jobbar under press?
W: Det är den enda situation jag känner lugn i. Jag har upptäckt att det
är en väldigt avslappnande inställning för mig i stolen.

F: I vår tidsålder tror jag att många dras med i uppfattningen att framgång beror helt och hållet på status och pengar och inte på hur man trivs med sitt jobb. Vad betyder framgång för dig personligen?

W: Det är sant, och jag känner av det ibland… det är jobbigt, särskilt i en stad som Los Angeles. Men innan jag dras med alltför mycket påminner jag alltid mig själv om att sann framgång för mig är min familj och att den är lycklig… så länge det stämmer spelar ingenting annat någon roll.

F: Har dina mål uppstått organiskt med åren eller har du haft en fast plan?

W: Både och, om jag ska vara helt ärlig. Jag har liksom försökt manövrera både de planerade och de oplanerade händelserna i min karriär och hoppats att de ska gå att kombinera smärtfritt.

F: Vad mer vill du åstadkomma i framtiden?

W: Jag har så många idéer och kreativa projekt som jag fortfarande vill genomföra, och bara satsa så mycket jag kan på att få det här varumärket att växa organiskt och på rätt sätt.

LUGN, NÖJD, FRAMGÅNGSRIK

Det finns människor som drivs av stress på jobbet, vilket kan vara oerhört kontraproduktivt på väldigt många sätt. Det kan också vara starkt beroendeframkallande, när man börjar tro att det är enda sättet att få saker gjorda. När jag var i tjugoårsåldern var jag galet upptagen eftersom jag inte kände till något annat. Jag brukade avsluta en filminspelning och direkt hoppa in i en taxi till nästa, som sedan skulle pågå till sent på kvällen. Efter det klev jag upp i gryningen för att börja jobba med ett nytt projekt och så vidare. Ett ständigt snurrande ekorrhjul med en självpåtagen tävling mot klockan. Jag kände mig obalanserad och väldigt kaotisk, men ändå drevs jag av det. Jag ville ha mer snabbhet och mer kaos, och adrenalinet som kom på köpet fick mig att accelerera ännu mer. Jag såg inget fel i att leva på det sättet – inte förrän jag kraschlandade vid ett senare tillfälle. Under denna galna och spännande period glömde jag också att se efter vad som egentligen försiggick omkring mig. Världen verkade röra sig så snabbt, fast det i själva verket bara var mitt huvud som for runt i 160 kilometer i timmen. Vet du med dig att du själv funkar så och känner att tillvaron på jobbet kommer att kollapsa om du inte har lite av det där kaoset som driver dig, så behöver du inte oroa dig. Jag tillåter inte mig själv att dra fram genom livet i den farten längre men trivs ändå med de flesta jobben jag tar mig an, och jag gör det med samma lidelse och drivkraft som jag alltid gjort. Du behöver ingen stress för att känna dig nöjd eller framgångsrik.

Jag har lärt mig att ta på mig något mindre, men också att koncentrera mig mer fullkomligt i varje stund. Det var en underbar insikt att passionen inte behöver utvinnas ur stress eller psykiska påfrestningar. Förr gick livet

När vi är stressade på jobbet finns det ofta möjlighet att mildra känslorna om vi stannar upp och tänker utanför ramarna. Skriv ner vad du känner dig mest stressad över, titta sedan på listan nedan för att se om något av dessa alternativ kan bidra till en lösning.

....

....

....

....

....

....

Kan du be någon annan om hjälp?

Kan du avsätta tid för dig själv under dagen? Kanske ta en promenad till jobbet, en promenad på lunchen eller gå hemåt till fots vid arbetsdagens slut?

Kan du sakta ner och inte bekymra dig över hur snabbt alla andra jobbar?

Kan du koppla av fullkomligt när du kommer hem och inte nämna jobbet för dem du bor med?

Kan du reda ut vem som sätter mest press på dig? Är det din chef, dina kollegor eller du själv? Kan du prata med dem om det?

för snabbt för att det skulle gå att stanna upp och leva i nuet, men nu tar jag mig lite mer tid att finna lugn. Även om ditt jobb verkar helt nerlusat av kaos lär det finnas små ljusglimtar att ta fasta på för att ge dig det så välbehövliga andrummet. Har du möjlighet att gå utomhus en stund och andas lite frisk luft? Har du möjlighet att stänga av din laptop lite tidigare än vanligt? Finns det något sätt att sätta upp mål för hur bra du ska trivas med jobbet snarare än hur högt du ska klättra?

Vad betyder framgång för dig? Har det en direkt koppling till makt, pengar eller att vara bättre än folk i omgivningen? Kanske motiveras du i viss utsträckning av dessa saker, men personligen anser jag att framgång handlar betydligt mer om glädjen du kan få ut av ditt jobb. Lyckan du känner när du har kommit in i en arbetsuppgift eller tillfredsställelsen det ger att se hårt arbete bära frukt. Jag har träffat och känner rätt många som anses vara »framgångsrika«. De har nått svindlande höjder i området där de är verksamma, har respekterats av omgivningen, har möjligen tjänat stora summor pengar, betraktas som »inflytelserika« och befinner sig ofta i framkant, men känner DE sig framgångsrika? Några av dem gör det eftersom de älskar sitt jobb, men några gör det definitivt inte. Jag har sett dessa människor med egna ögon, som för omvärlden framstår som stereotypen för »framgång« i karriären, men som faktiskt känner en tomhet inombords eftersom de hade väntat sig att de skulle nå någon sorts upplyst frihet efter att ha kämpat sig hela vägen upp på toppen. Att nå »toppen« innebär inte att man är immun mot smärta, stress eller obehag i livet. Det befriar en inte från stressen som förluster, sorger eller sjukdomar lämnar efter sig. Pengar kan förstås dämpa stressen i viss mån – när räkningarna samlas på hög och man har barn att mätta kan den oron ta över allt annat. Att ha ekonomisk trygghet kan ibland lätta på trycket och sakta ner arbetets evigt snurrande ekorrhjul, men att ha en massa pengar, makt eller hedersutmärkelser betyder inte nödvändigtvis att det går att skydda sig från spänningarna som livet medför. Djupt rotad klarhet eller lugn kan inte köpas för pengar.

Jag växte upp med två föräldrar som jobbade extremt hårt för att se till att min bror Jamie och jag kunde äta oss mätta, vara ordentligt klädda och göra en kul utflykt då och då. Min pappa jobbade de flesta dagar som skyltmålare, och gör det än i dag, medan min mamma oavbrutet tog hand om oss utöver sina parallella jobb som tandsköterska, klädesbud och städerska på deltid hos grannarna. Som barn hade jag ingen uppfattning om vilka uppoffringar mina föräldrar gjorde för att se till att vi hade det hyfsat tryggt och bekvämt, men snacka om att jag gör det nu! Deras ihärdighet ingöt också en arbetsmoral i mig som jag inte kan förneka. Jag har sett på nära håll hur hårt arbete kan ge så mycket glädje och därmed lugn. Pappa jobbar fortfarande upp till sex dagar i veckan som skyltmålare, för även om han inte har några barn att oroa sig över längre fortsätter han att jobba långa dagar eftersom han älskar sitt jobb. Det är framgång det. Hans karriär sträcker sig över nästan fem decennier och har gett honom ett stort kreativt flöde och en målmedvetenhet som han håller fast vid än i dag.

Jag antar att det jag försöker säga är att man kan äga flotta bilar, klä sig i skräddarsydda kostymer och frottera sig med eliten utan att uppleva den där livgivande känslan av framgång – och att ständigt eftersöka den eller känna att det borde gå bättre än det gör kan vara en stor orsak till stress. Om du finner din egen väg, engagerar dig i ditt nuvarande jobb eller människorna du jobbar med på ett djupare plan kan det ge en hjärna som är tillfreds och lugn när du går och lägger dig på kvällen. Du måste inte ha en inflytelserik karriär eller en tjusig titel för att få den belöningen. Du behöver bara göra det bästa av det jobb du har.

Vad du än jobbar med, skapa dina egna framgångsmarkörer. Var genuin och uppriktig i det du gör – det kommer att hjälpa dig på vägen mot lugnet.

PRESS ATT PRESTERA BÄTTRE

Om du känner dig tyngd av pressen att vara en bättre person eller prestera bättre på jobbet, kan du då gå tillbaka och se var den pressen kommer ifrån? Jag kan definitivt göra det när det gäller mitt arbetsliv. Jag kan försöka lura mig själv att det beror på att jag försöker göra mina föräldrar nöjda, eller att jag vill bevisa för vissa tvivlare att jag är bättre än vad de trodde – eller till och med att jag försöker visa mina barn hur man håller hög arbetsmoral – men innerst inne, under det bruset av ytliga tankar och prat, vet jag att det beror på MIG. Jag är den enda som lägger sådan tyngd och press på att bli bättre, röra mig snabbare, vara smartare och anstränga mig mer. Jag vet egentligen inte ens varför den pressen finns, men den känns relativt ostoppbar. Jag är min egen värsta kritiker. Jag är den som har mest åsikter om mina egna tabbar och den som behöver konkreta bevis för att tro att jag verkligen duger.

De här tankarna och den pressen kan ta mig långt bort från lugnet, men så länge jag minns att allting kommer från MIG kan jag avdramatisera situationen något och bli snällare mot mig själv. Det gör inget om jag stakade mig någon gång i radio och inte presterade helt perfekt. Världen går inte under om jag uttalar ett ord fel i direktsändning och ingen bryr sig om ifall jag inte ansågs vara bäst den dagen. Allt är ändå bara en illusion. En uppfattning byggd på åsikter som lappats ihop till någon sorts svar på en meningslös fråga.

Kom ihåg att vara snäll mot dig själv! Var inte så självkritisk när du befinner dig under press. Om något går fel, ta ett djupt andetag, lär dig något av det och låt det sedan vara. Lättare sagt än gjort, men det är meningslöst att stressa upp sig över något som redan har hänt och nu är förbi och omöjligt att göra något åt. Det enda som det kan ge är att du låter en liten knopp av stress bildas. Om vi går igenom våra misstag om och om igen i huvudet känns det som om de blir större, men om vi gör tvärtom kan de blekna bort naturligt med tiden. Var snäll mot dig själv. Gå tillbaka till det jag sa i början av den här boken: tänk på vad du skulle ha sagt till en vän. Det absolut troligaste är att du skulle ha sagt: »Det spelar ingen roll – glöm det bara.«

TA EN PAUS

Försök ta dig tid och utrymme för lite tankar och idéer – även om du är absurt upptagen – för det är där lugnet kommer att infinna sig. Det behöver inte vara fråga om några enorma tidsrymder, och du kan passa in det med andra saker som du måste göra under dagen. När du går på toa, när du brygger te, när du går ut och köper lunch, när du sitter ner och äter – använd fem minuter när som helst under dessa tillfällen till att inte göra någonting. Blunda och gör eventuellt en av andningsövningarna på s. 63. Utnyttja tiden till att rensa hjärnan, så att du gör plats för tankar, idéer och lugn. Genom att ge dig själv en mental paus från den omedelbara stressen på jobbet kan du få perspektiv och klarhet nog att klara hindren på ett lugnare sätt.

Precis som det inte finns utrymme för lugn när man jobbar oavbrutet finns det ingen plats för det om energin blir stillastående och orörlig för länge. Om du känner att du inte förverkligar din fulla potential och har tappat rytmen du behöver för att ta stora språng och få förändringar till stånd, så bör du försöka på ett annat sätt. Jag har gått in i återvändsgränder i min karriär så många gånger. Jag har fått höra att jag inte »passar riktigt« för vissa jobb (vad det nu ska betyda), har känt mig missförstådd och även själv tyckt att jag inte gjort bra ifrån mig. I sådana stunder har jag alltid tagit ett steg tillbaka för att se allt som pågår omkring mig. Varför presterar jag inte på topp och varför bryr jag mig om ifall folk inte tycker att jag duger? Det kan leda till förändring eller att jag betraktar *ihop* saker och ting annorlunda.

Ibland känner jag begär efter att lära mig lite mer. Det är alltid ett lugn som infinner sig när jag låter hjärnan suga in ny information. Finns det *pussla* utrymme på ditt jobb eller *så* någon annanstans att lära sig mer? Jag antar att det alltid finns det på de flesta jobb och inom vilken hobby som helst. *myck*

Andra gånger ser *Försöker* jag efter om jag kan vara till hjälp eller ge positiv energi

livet *i*

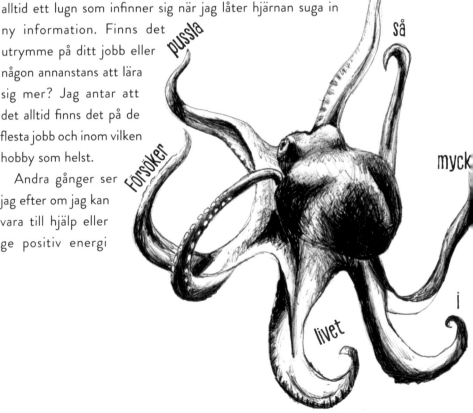

till andra. Att hjälpa någon annan känns alltid så tillfredsställande och lugnande eftersom man omedelbart når sin fulla potential. Ibland har jag längtat efter förändring och nya utmaningar. När jag blir uttråkad eller liknöjd känner jag mig inte alls lugn, trots att jag förbrukar mindre energi, utan snarare nervös och irriterad. Att utmana sig själv är alltid kul om man gör det av rätt anledning. Överös inte dig själv med utmaningar för att försöka vara bäst, besegra andra eller bli hyllad. Gör det för att du innerst inne vet att det kommer att väcka din själ till liv och få dig att känna dig energisk och närvarande i stunden igen. När jag ställs inför en utmaning känner jag mig väldigt levande och väldigt inne i nuet, vilket alltid brukar leda mig tillbaka till lugnet. Ingen i världen kan hindra dig från att söka nya utmaningar. Kom ihåg att de inte behöver vara så värst stora, utan bara saker som är nya för dig! Det fina är att det är du som skapar dem, och det är du själv som bestämmer när det är dags att ta itu med dem.

Jag pendlar ofta mellan två ytterligheter – mellan att känna mig överhopad med arbete och känslan av att ha kört fast – och jag vet att lugn inte kan rymmas i någon av de sinnesstämningarna. Jag håller alltid utkik efter stora rymliga tomrum där lugnet kan slå rot eller sätta mig i tillräcklig rörelse för att lugnt och sansat stimulera mina drömmar och idéer. Var inte rädd för tystnad och tomrum. Det här är inte heller så lätt för mig, men jag håller på att lära mig gilla det avlägsna surret av att ha lösgjort mig från allt som jag annars låter ta mig i besittning. Försök finna de stunderna och små snuttar i tid och rum där du kan kalibrera och ladda om.

Sammanfattning

FINN DIN BALANS.

Oavsett om du älskar eller hatar ditt jobb, se till att du har tid för dig själv också.

TÄNK UTANFÖR RAMARNA.

Var inte rädd att ändra på saker om det behövs.

DEFINIERA DIN EGEN FRAMGÅNG.

Bekymra dig inte över alla andra. Sikta på det som kan göra DIG tillfredsställd.

HUR SER LUGNT ARBETE UT FÖR DIG?

Skriv ner ett ord eller rita en bild här som sammanfattar det.

LUGN
MILJÖ

Kan du komma på någon plats som genast får dig att andas ut? En plats som kan få all stress och alla spänningar att släppa så fort du sätter din fot där? En plats där du känner dig balanserad, trygg och, viktigast av allt, lugn? Jag har några sådana ljuvliga ställen som jag kommer att tänka på, och bara tanken på dem får en fridfull våg att skölja över mig. Den ena är en skogsglänta nära mitt hus. De gigantiska träden får mig att känna mig liten och tänka på perspektiven. Deras historia och stabilitet ger mig ett djupt förankrat lugn som får mig att stanna upp.

MAGISKA PLATSER

När jag var gravid med Honey led jag av något som kändes som en kombination av matförgiftning och sjösjuka. Somliga dagar var illamåendet så intensivt att jag kände mig hjälplös och fången. Då brukade jag vagga fram till den där skuggiga platsen och lägga mig bland grenarna på ett av de enorma fallna träden och låta knutarna och knölarna vagga mig och mitt illamående. Då såg jag den blå himlen mellan trädkronorna och för ett ögonblick slutade allting snurra. I dag är det ett ställe dit jag älskar att ta med mig barnen, så att vi kan gotta oss allihop i energin från de kolossala ekarna.

Ett annat ställe där jag kan sjunka in i det där tillbakalutade tillståndet är hemma hos en av mina vänner från förr. Det finns något besynnerligt magiskt över det huset och energin som fångats mellan väggarna som suger in mig och får det att kännas som hemma. Jag tillbringade en stor del av mina sorglösa tonår i det huset, så muskelminnet uppmuntrar mig till en roligare och mer frisinnad version av mig själv och orosmomenten har en tendens att sjunka undan.

En annan lugn plats för mig är vid havet. De flesta av er håller nog med om att det finns något hypnotiskt och vilt men samtidigt lugnande i att blicka ut över det. Inte nog med att havet är visuellt omtumlande och vackert i alla sina varierande stadier, utan det finns också en oförklarlig kraft bakom dess lockelse. Plötsligt tillintetgörs alla starka känslor av de rasande vågorna och deras magnetiska dragningskraft. Även om regnet vräker ner är det förtrollande att vara nära havet. Jag kan inte komma

Lugna platser behöver inte vara ett långdistansflyg bort eller på någon tjusig destination. Allt handlar om att skapa en atmosfär som känns rätt för dig.

Finns det någon vrå hemma hos dig som känns lugn?

....

Vilka färger får dig att känna lugn?

....

Behöver vrån städas upp för att skapa mer plats?

....

Spåna på några idéer om hur du skulle kunna göra det stället till ditt eget Utopia:

....

....

....

....

....

på många andra platser som fortfarande kan se bra ut och kännas bra en mulen tisdag.

Under en kort resa med min man innan vi hade Rex och Honey var vädret ganska molnigt och havet relativt vågigt. Det fanns en liten platå på en klippa nära intill havet som nådde precis ut till djupare vatten. Tanken att ge sig ut i det skummande vattnet verkade först inte ett dugg lockande, men när ett par vänner till oss trotsade kylan bestämde vi oss för att göra likadant. Chocken av den obehagliga temperaturen lade sig strax och övergick i känslan av befrielse. Varenda nerv i kroppen vaknade till liv och fick alla förnimmelser av färg, doft och beröring att förhöjas inom några sekunder. Jag hörde hur vinden piskade mitt hår och kände saltet klibba fast vid ansiktet medan de kaotiska vågorna slog mot kinderna. Att kastas omkring och guppa våldsamt upp och ner var spännande och ovisst, men samtidigt på något märkligt vis betryggande. Varenda liten del av min kropp och själ älskade att vara i det vattnet och känslan höll i sig en bra stund efteråt. Tyvärr bor jag inte vid havet och får inte uppleva detta tillräckligt ofta, men jag antar att det samtidigt gör ögonblicken ännu ljuvligare när de väl inträffar.

Ingen av dessa platser är exklusiva, förnäma eller särskilt anmärkningsvärda på något sätt, men de är hur som helst magiska. De besitter en mäktig kraft som suger tag i mig och får mig att känna mig tryggt förankrad, som hemma och väldigt lugn.

Så vad är det med de här ställena som gör att de kan få alla mina känslor av stress och obehag att försvinna? Jag tror att det är en blandning av en mängd olika känsloförnimmelser och energier på platserna som harmonierar med och stöder min energi. Energin är så svår att sätta fingret på, för den är inte konkret eller synlig på något sätt. Det är en känsla, en vibration, en atmosfär. Väldigt ofta tänker jag att det bara är en magi som kommer från områdets naturliga tillstånd. Till exempel havet och alla dess negativa joner. Negativa joner har egenskapen att kunna förbättra vårt humör, skärpa våra sinnen och rent av lindra smärta. Energin i de fallande vågorna gör så att luftens neutrala partiklar delas och elektroner frigörs som sedan slås ihop med andra luftmolekyler och skapar negativ laddning. Det är därför vi blir så omedelbart uppiggade när vi kommer till havet. Alla de där negativa jonerna får våra sinnen att vakna, hela vår kropp att stärkas och våra tankar att ledas till lugn.

Det finns många magiska platser på vår planet med magnetisk dragnings-kraft som Stonehenge i Storbritannien eller Es Vedrà på Ibiza. Dessa platser på jorden präglas av en magnetisk energi som kan ha positiva förvandlingseffekter på hälsan och en helande kraft. När allt kommer omkring är magnetismen som sprids utåt från jordens inre ett skydd för planeten och ozonlagret och har en mycket mer omfattande påverkan på oss än vi orkar tänka på. De här magiska platserna på jorden som utövar sådan magnetism kan tjäna som påminnelse om hur mäktiga de naturliga energierna på vår planet är. Vi brukar ta för givet att allt som är tröstande och lugnande har sitt ursprung i något vi har åstadkommit eller uppnått, men ofta kommer det från naturen och enkelheten.

Om du känner dig spänd, utmattad av stress eller bara lite ofokuserad – gå ut i det fria. Finns det någon park eller något grönområde i närheten eller ett träd att sitta under? Finn din egen fridfulla plats och gör den till din. Ingen behöver få veta något, du behöver ingen skylt eller något märke för att markera ditt territorium, du behöver bara veta att det är ditt innerst inne.

Naturen kan omedelbart påminna oss om lugnet, för den fortsätter att utvecklas, växa och förändras oberoende av om allt annat känns totalt kaotiskt. Träden fortsätter växa när vi känner att vi har tappat kontrollen, fåglarna fortsätter kvittra när vi är slutkörda av stress, och havet fortsätter rasa när

194

vi känner att botten är nådd. Det är en jättebra påminnelse om att världen fortsätter snurra även om vi känner oss nedbrutna av stress och påfrestningar. Gå ut och ta till dig alltihop. Ljuden, dofterna, känslan av brisen mot huden. Det är omedelbart lugn för mig.

NOSTALGISKA PLATSER

Utöver dessa naturens under som vi kan utnyttja för att få kontakt med vårt lugn har vi också glädjefyllda platser som vi förknippar med nostalgiska minnen. Ställen där vi har haft kul och där lyckliga tankar lever vidare. Jag är väldigt nostalgisk av mig, så för mig är det här en mäktig kraft. Att vara på ställen där något jobbigt har hänt påverkar mig starkt, och efter det har jag väldigt svårt att få tillbaka lugnet. Jag är enormt känslig för energin på sådana platser och har problem att skaka av mig känslorna ett tag efteråt. Men det omvända har lika stark påverkan – några av mina favoritställen när jag vill känna mig lugn är platser som jag har laddat med underbara, skimrande minnen. Jag tror att det kan vara relativt skadligt att leva intensivt i det förflutna, eftersom vi då glömmer att agera utifrån NUET, men när det gäller att finna vägen tillbaka till vårt eget lugn kan lyckliga minnen från lyckliga platser vara till stor hjälp.

Om du någon gång har flyttat från ett hus till ett annat kanske du har tänkt på att det inte tar lång tid förrän det nya huset känns som hemma. Så fort det plötsliga uppbrottet och kaoset som en flytt innebär börjar gå över och så fort nära och kära lämnar avtryck på din nya plats börjar den kännas mer som DU. Jag tror att varje glatt minne som uppstår på den nya platsen och varje människa som kliver in genom dörren lämnar kvar lite energi som sedan lever vidare och blir en del av ditt hem. Den nya platsen känns mjukare, varmare och mer betryggande och det kommer att finnas vissa punkter innanför de där väggarna som ger dig lugn. I mitt fall är det ena änden av köket, där en soffa står mot ett fönster med utsikt mot en kyrka. De senaste åren har vi fyllt vårt kök med människor vi älskar – som skrattat, ätit och lämnat sina egna spår efter sig. Energin som flödar runt den punkten känns kul och frenetisk men samtidigt stöttande och lugn. När barnen har lagt sig och jag har fyllt diskmaskinen ligger jag gärna där på soffan och läser böcker med ett öga på vyn utanför fönstret. Natthimlen ramar in sceneriet och jag känner mig lugn i vetskapen att jag är rofylld och trygg.

Vi kan även dra nytta av alla andra sinnen när vi söker upp dessa fridfulla platser. Finns det dofter eller färger som du vet genast får varenda muskel i kroppen att slappna av? När jag var i tjugoårsåldern åkte min kära vän Lolly och jag på tjejsemester i Mexiko. Vi var bägge två i väldigt kaotiska faser i livet – jag kom just från en bruten förlovning och Lolly hade ett hyperstressigt jobb som klubbchef på ett trendigt ställe i London. Under färden till flygplatsen minns jag att Lolly undrade hur hon skulle kunna vara borta sju hela dagar från sina två ständigt plingande telefoner. Tänk om hon skulle ställa till det för alla nu. Tänk om hela verksamheten kollapsade under tiden. Tänk om, tänk om… Det var utmattande att ens tänka på, alltmedan vi bägge två närmade oss undermedvetna vändpunkter i våra liv.

Det första avgörande ögonblicket på resan kretsade helt och hållet runt dofter. Vi togs emot av brett leende ansikten som tog över våra fullpackade resväskor och tände rökelser kring våra slitna kroppar. Vad var det för berusande doft och hur i hela världen kunde den sippra in i varenda cell i kroppen? Från den stunden upplevde vi sju dagar av total, avslappnad och rofylld lycka. Jag gick till receptionen och bad om att få lite av den där himmelska rökelsen till vårt rum och fortsatte sedan tända den dagarna och nätterna igenom. När jag kom hem tänkte jag att doften kanske bara hade den makten över mig i ett paradisscenario, men den verkade faktiskt få samma effekt hemma på brittisk mark. När jag kom till den allra sista stickan kunde jag knappt tänka mig att leva utan den. Vad skulle jag ta mig till utan den där lugnande doften i mitt liv? Jag hade ingen aning om var den gick att köpa, för det var en lokal produkt från just den del av mexikanska kusten där vi hade bott. Men så två år senare var jag på en marknad i Ibiza med barnen när en nostalgikick träffade mig rakt i solarplexus. En total förnimmelse av lugn och glädje. Det var DEN doften. Jag rusade efter doftspåren och sökte desperat efter ett stånd som kunde tillgodose min lugnande vana, och så plötsligt fick jag syn på två äldre mexikaner prydda med silverringar och lappade stövlar med ett bås som var vackert dekorerat med lokalt hantverk och DEN doften. BINGO! Jag köpte vartenda paket de hade och praktiskt taget skuttade hem, strålande av lycka. Lolly och jag har förbrukat alla de där stickorna sedan dess, så jag väntar tålmodigt på dagen då jag får möjlighet att leta rätt på den där underbara lilla marknaden i Ibiza igen.

Vem hade kunnat tro att en doft skulle förändra allt på det viset? Den kanske inte faller alla i smaken, men för mig väcks genast minnen och känslor till liv som har stor makt över min kropp och mina tankar. Vissa parfymer från min barndom får mig att känna trygghet och stöd eftersom de påminner om mamma. Skarp lukt av målarfärg får mig att känna mig mer jordnära och balanserad, eftersom det tar mig tillbaka till när jag såg pappa måla skyltarna i sin verkstad när jag var liten. Denna enkla, berusande sensoriska resa kommer alltid att ta mig tillbaka till lugnet, om så bara för en kort stund. Försök hitta en doft som du gillar och som känns meningsfull för dig. Det kan mycket väl vara knepet som hjälper dig att finna vägen till lugn.

TA MED LUGNET HEM

Färger har lika stark effekt på mig när det gäller att finna lugn. Vårt sovrum hemma är till största delen vitt. För mig är vitt lika med stillhet. Det hjälper min hjärna att sluta surra och min kropp att slappna av. Den där lugnande känslan är nödvändig för mig i sovrummet, för jag sover inte alltid så bra och måste därför ta till alla medel som finns för att försöka slappna av efter en jäktig dag. Resten av huset har däremot fått mer färg, eftersom behovet av stillhet inte är lika stort i de andra rummen. Vårt vardagsrum är en mix av matt rosa och mossgrönt – lugnande men ändå kul – för det är en plats där vi samlas som familj och leker, pratar och tittar på TV. I köket har vi klickar med rosa och turkos, för det är husets maskinrum. Det är där vi jämt och ständigt lagar mat, pratar med varandra och organiserar vårt familjeliv. Vårt badrum är också vitt, då det signalerar till både oss och barnen att varva ner för dagen. Det är första depåstoppet på väg till sömnens rike, så det behöver förkroppsliga den fridfulla känsla som kan bära oss fram till god nattsömn.

Att få omgivningen att spegla lugnet vi vill känna inombords kan vara ett effektivt verktyg, men det behöver inte innebära stora inredningsprojekt. Min man är väldigt bra på att skapa stämningsfullt ljus, vilket kanske låter som om han är någon sorts myspappa från sjuttiotalet, men vi tycker faktiskt båda två att det är otroligt viktigt för att varva ner på kvällarna. Hans mamma var helt inne på ljussättningens magiska krafter, så hon förde vidare behovet av stämningsskiftande lampor och ljus till honom. Ingenting märkvärdigt eller spektakulärt på något vis, bara några hederliga gamla levande ljus och lite skruvande på dimmern. Sådana ändringar av atmosfären kan verkligen bidra till att sätta tonen för kvällen, vare sig man har folk på besök eller har planerat en lugn kväll i ljuvlig ensamhet. Våra hjärnor snappar definitivt upp sådana tydliga signaler och agerar därefter. Våra hjärnor vet, möjligen genom någon sorts förhistoriskt minne, att mindre ljus betyder att vi ska varva ner. Det har skrivits massor om hur skärmarna på våra telefoner, läsplattor och datorer utstrålar ett blått ljus som tömmer oss på melatonin, ett hormon som vi behöver för att kunna sova, och jag vet att när jag är uppe för sent och på natten och skriver på min bärbara dator gör ljuset från skärmen att jag får en helvetesnatt med uppbruten sömn. Så sent som förra veckan skrev jag på den här boken och pressade mig att fortsätta till sent på kvällen, och sedan var jag på helspänn fram till två på natten. Eftersom jag är en person som a) älskar att sova och b) har barn som gärna vaknar klockan sex, så var det knappast någon höjdare. Jag började nästan få panik och tro att jag aldrig skulle kunna somna. Sömnbrist är inte bara irriterande, utan hindrar en också från att tänka rationellt. Hört talas om »gröt i hjärnan«? Det är inte bara något ytligt påhitt som vi mammor slänger oss med för att skylla våra sömnproblem på barnen, utan handlar om att vi inte kan sätta ihop sammanhängande meningar eftersom våra hjärnor är mycket rörigare utan de åtta timmar sömn som vi egentligen behöver.

Rätt ljussättning kan få oss att känna lugn efter en jäktig dag, sätta stämningen för en romantisk kväll, liva upp oss när vi är utmattade och maxa vår lycka en solig dag. Det är omedelbart, lätt att ordna och funkar verkligen. Jag tycker att det är väldigt viktigt att man ordnar ett lugnt och tryggt rum åt sig själv, antingen för lite ensam stillhet eller för att träffa en grupp människor som verkligen är viktiga för en, för man vill att energin ska vara den rätta för en fridfull men ändå härlig stund. Det handlar förstås inte bara om ljussättning. Det finns massor av små saker som man kan göra för att ge hjärnan en signal att slappna av och varva ner.

RENSA HEMMILJÖN

Som ni säkert har förstått vid det här laget har jag total renlighetsmani. Jag har en trist vana att ständigt kolla igenom huset efter saker som ligger på fel ställe. Antagligen går jag till överdrift på det området, men att ett rent hem är ett rent huvud är något som verkligen gäller för mig. Inte en chans att jag kan sätta mig ner efter att barnen har gått och lagt sig och börja skriva om det är fullt med disk i köket eller Legobitar över hela golvet. Min hjärna skulle kännas rörig, kaotisk och inte beredd att skriva i lugn och ro. För det mesta tror jag att det finns ett samband mellan hur det ser ut hemma hos oss och vad vi har för personlighet, eller hur vi innerst inne mår. Mitt behov av renlighet och kontroll avspeglar till 100 procent känslan jag ofta har av total brist på kontroll. Jag känner att livets kaotiska tendenser får mig ur balans så pass att jag måste klamra mig fast vid den lilla kontroll jag faktiskt har. Håller jag mitt hem snyggt och prydligt får det mitt undermedvetna att tro att jag kontrollerar mitt liv mer än jag gör. Åtminstone kan jag lura hjärnan till ett lugnare tillstånd genom att skapa lugn och en kontrollerad miljö hemma.

Som jag nämnde i familjekapitlet tror jag faktiskt att vi kan bejaka det där kaoset ibland och känna lugn, men min teori är ändå att energin i huset inte kan flöda som den ska om vi har en massa saker som ligger och skräpar omkring oss. Jag är ingen feng shui-mästare, men jag vet när mitt hem når bristningsgränsen och jag behöver en gammal hederlig storstädning och utrensning. Jag försöker göra små utrensningar med några månaders mellanrum, för med alla saker som mina barn och styvbarn ständigt samlar på sig – och med min och min mans förkärlek för nya kläder – behöver vi göra oss av med gamla saker för att kunna släppa in något nytt. Och då menar jag inte i första hand en massa nya inköp, utan något nytt i form av energi och möjligheter.

Jag tror att om vi fäster oss känslomässigt vid en massa föremål som vi har i våra hem hindrar vi livets naturliga flöde, och det är ofta ett tecken på att vi har fastnat lite för mycket i vårt förflutna. Alla har vi ju föremål som betyder mycket för oss och som vi aldrig kommer att vilja göra oss av med, men jag syftar snarare på att vi håller fast vid saker som vi vet att vi egentligen inte behöver, eller som faktiskt ger oss mer bekymmer än glädje. Jag försöker ständigt rensa ut, men i det moderna livets snabba svängar har jag inte alltid tid att ta en ordentlig titt på vårt hem och vad det är vi faktiskt behöver.

När man åker på semester inser man hur lite man faktiskt behöver för att klara sig. Några uppsättningar kläder, lite toalettartiklar och så är man i stort sett redo att åka. Men hemma verkar vi tro att vi behöver så mycket mer än vi egentligen gör. Jag vet att när jag har gjort en ordentlig genomgång av huset med en säck till välgörenhetsbutiken känns det som om jag blir mycket klarare i huvudet och får mycket mer andrum.

En annan underbar sak med att göra utrensningar är att man troligtvis hjälper andra på kuppen. Min mamma brukar ha en liten loppis hemma hos sig några gånger om året där hon samlar ihop lite smått och gott från familj och vänner som de inte längre behöver. Det blir en kul liten sammankomst med tårta och te och vänner som köper saker de gillar för fyndpriser. Alla pengar går sedan till en djurrättsorganisation, för djurrättsfrågor är något hon brinner starkt för. Förutom att jag ger massor till min mammas loppmarknad ger jag mycket till välgörenhetsbutiken i området där jag bor, eftersom jag vet att saker som inte längre fyller någon funktion i mitt hem kan ge lycka åt någon annan – samtidigt som det hjälper det välgörande ändamålet i fråga. WIN WIN! Mindre skräp hemma, mindre skräp i hjärnan, samtidigt som man hjälper andra människor här i världen.

HEJ TILL... ALICE OCH LAURA

Att skapa ett lugnt utrymme är oerhört viktigt för två vänner till mig som regelbundet arrangerar middagsklubbar för entusiastiska främlingar. Alice Levine och Laura Jackson är inte bara briljanta programledare i TV och radio, utan också tigrinnor till värdinnor... eller det lät kanske lite krystat, men ni fattar. De har varit vänner i många år och älskar att laga mat och underhålla folk, så de startade sin middagsklubb som de driver för skojs skull vid sidan om karriären. Deras nyskapande matlagningsmix i kombination med deras utsökta sinne för estetik och att få alla att må bra har gett dem massor av frossande beundrare. Middagsklubbarna är visuellt sagolika med dukningar i Pinterest-klass, mild belysning med levande ljus och omedelbart avslappnande färgsättning. Vart kunde vara bättre att vända sig för råd om hur man sätter miljön för en lugn och avslappnad kväll?

F: Hallå tjejer, hur mår ni? Jag blir alltid så imponerad av era middags-klubbar och hur vackert utformade de är. Varenda liten detalj i samman-komsterna är elegant, chic och så oerhört lugnande. Hur kommer det sig att ni började arrangera de där kvällarna?
A: Allt började som en utmaning: Skulle vi kunna öppna en ›restaurang‹ i Lauras lägenhet och få tjugo personer att komma dit? Kan vi få den att se strålande ut och maten att smaka strålande? Kan vi få folk att känna att de fått en helt unik upplevelse?

L: Vi brukar inleda säsongen med ett ›tema‹. På så sätt kan vi alltid vara säkra på att vi använder de fräschaste råvarorna, för säsongsbetoningen och matens ursprung är väldigt viktiga saker för oss. Samtidigt som vi låter säsongen prägla maten kollar vi upp vilka blommor som gäller under den perioden, sedan använder vi dem som bas för kvällen när vi väljer dukar och servis.

F: Vad är det främsta målet när ni organiserar era kvällar?

A: Att folk har trevligt är helt klart huvudsyftet. Maten är förstås också viktig, och att stället och dukningen blir iögonfallande och inbjudande är avgörande, men i grunden vill vi bara att folk ska gå därifrån och säga att de har haft kul och träffat ett gäng härliga människor.

L: Vi älskar att sammanföra olika typer av folk, för mat förenar verkligen människor från alla möjliga bakgrunder. Man kan sätta en brokig samling människor vid bordet med en tallrik mat så förenas allihop runt den. Det finns en riktigt stor kraft i det. Vi har som mål att få människor att samlas genom den gemensamma kärleken till mat, för att prata och uppleva en kväll fylld av skratt tillsammans med nya vänner.

F: Utöver den utsökta maten, hur viktig är inramningen och färgsättningen under era kvällar?

A: Vi leker jättemycket med färgerna. Vi har gjort stillsamma arrangemang med i huvudsak vitt (servetter, dukar, porslin osv.) och någon subtil färgklick i rosa pastell eller hortensia. Eller så har vi gått på en lite mer nyckfull färgsättning med linnedukar i indigo och bastdukar.

L: Vi lägger ner massor av tid på att leta material, dukar och antikt porslin så att varje kväll vi planerar ska kännas speciell. Gästerna känner sig så uppskattade när var och en får sin egen personliga dukning – alla sådana små specialdetaljer gör jättemycket.

F: Vilka färger tycker ni känns lugnande när ni utformar planen för en kväll?

A: Ljust, alldagligt och neutralt är inte det enda sättet att göra något lugnande – vi har haft matt rosa, rosenrött, duvgrått och marinblått som basfärger, men vi tycker det är jättekul att vara lite djärvare och mer färgstarka med omatchade mönstertryck också, och det kan kännas lika inbjudande.

L: Jag tycker att allt som inte känns plottrigt, någonting riktigt rent, enkelt och chict, alltid känns väldigt lugnande. Ljusa pastellfärger skulle jag säga har mest lugnande effekt, och om man känner för att tillföra en liten färgklick är det lätt ordnat med ljusstakar, tallrikar eller rent av guldbestick.

F: Vad är viktigt förutom färgerna för att få till rätt stämning?
A: Ljussättningen. Ingen har någonsin haft en trevlig stund under en 100-wattslampa mitt i rummet. Använd stämningsfull ljussättning med lampor och levande ljus. Och musiken – tystnad kan göra folk nervösa, men för skränig musik kan få folk att sluta prata, så volymen är lika viktig som själva valet av musik.

L: Musiken och ljussättningen är nyckeln till att skapa den perfekta stämningen. Ljussättningen bör bestå av levande ljus eller dämpad belysning, inga starka glödlampor i taket och inga strålkastare. Musiken behöver vara stark nog för att skapa lite stim, men tillräckligt tyst för att folk ska kunna prata med den i bakgrunden. Mina två favoritbakgrunder som inte går att misslyckas med är soundtracken till *Dirty Dancing* och *Amelie från Montmartre*.

F: Hur håller ni er lugna i kaoset när ni både måste laga mat och vara värdinnor för stora grupper med matgäster?
L: Tja, det finns stunder då vi inte är ett dugg lugna, men det är så härligt att jobba ihop, för vi hjälper varandra att slappna av även när det blir riktigt stressigt. Innan gästerna kommer brukar vi ta tio minuter för att sminka oss och byta från matlagnings- till festkläder. De minuterna brukar räcka för att vi ska ›komma i stämning‹.

F: Tack så hemskt mycket, tjejer! När får jag komma och äta?

STÄDA UT DET FÖRFLUTNA

Det finns några föremål hemma hos mig som inte gör mig särskilt glad och som jag vet att jag behåller av fel orsaker. Kanske håller du fast vid presenter som du fått av ditt ex för att du inte helt har släppt taget om den relationen? Kanske klamrar du dig fast vid vissa ägodelar eftersom du inte hade så mycket när du var liten? Kanske kan du inte släppa taget om dina ägodelar eftersom du känner att de utgör en sådan stor del av den du är?

För några år sedan kände jag att jag behövde sluta stå och stampa och börja öppna mig för nya saker, och då gjorde jag något som var bra terapi, även om det kanske var lite lättsinnigt. Jag hade skrivit dagbok de flesta veckor sedan väldigt ung ålder och hade ett femtiotal anteckningsblock liggande under sängen som en skattkista av minnen, äventyr, elände och tårar. Samtidigt som böckerna bar på många hemligheter och underbara historier tyngde de ner mig. De kändes för stela och endimensionella. Det var historier som berättats vid en viss tidpunkt då jag kände mig väldigt annorlunda jämfört med i dag. Böckerna och deras ord kändes som en börda, så jag fattade ett spontant beslut att bränna upp dem allihop. Tusentals ord gick upp i rök, tappade sin tyngd och sitt grepp om mitt liv. Kanske skulle det vara jättekul att bläddra igenom dem på ålderns höst, men samtidigt kände jag att de kunde hämma mig. De kunde få mig att tro att min historia avgjorde vem jag är nu och kanske hade berättelserna faktiskt överskridit sitt bästföredatum. Det kändes värt chansningen och jag ångrade det inte ett dugg just då. Mitt hem känns lättare och klarare utan dem och jag har fortfarande drivor av minnen som jag kan gå tillbaka till om och när jag vill. Att släppa taget är jobbigt, men ibland kan det förändra hela tillvaron och vara minst sagt befriande. Jag tror dessutom att jag undermedvetet var redo för att nya historier skulle berättas som inte hindrades av mina visioner av det förflutna. Nya tankebanor och en lugnare syn på framtiden.

KRAFTEN I PAPPER OCH PENNA

Jag tenderar också att tyngas ner av att jag måste sköta vårt hem. Att hålla familjen flytande och se till att alla är glada och har vad de behöver kan ofta ta väldigt mycket tid och energi när det känns som om ingen finns. Vårt hem är fullt av energi, människor och saker som verkar behöva fixas. Alltid finns det någon svajig hylla, trasig toasits eller droppande kran i huset. Jag gillar som sagt ordning och reda, så listan över saker som behöver bytas ut, lagas eller restaureras tar aldrig slut. Den enda metoden jag har kommit på som funkar när det känns som om jag tappar kontrollen är att skriva listor. Det är den mest elementära och tråkiga hobby man kan tänka sig, men den hjälper mig att hålla mig själv i schack. Jag har flera anteckningsblock som alltid ligger i handväskan med rader som:

- Vattna blommorna
- Fixa toasitsen (igen)
- Byt ut vissna krukväxter
- Köp toapapper
- Sortera ut barnens kläder

När pennan har satts till papperet och en idé eller tanke har gjorts

Alla samlar vi på oss och håller fast vid vissa föremål, fotografier eller klädesplagg för att vi har känslomässig anknytning till dem. Vissa tycker att det känns väldigt traumatiskt att släppa taget om saker och det kan hämma dem jättemycket. Andra behöver bara tänka efter vad de behöver och vill ha i sin personliga sfär och kanske egentligen bara lite tid att gå igenom alltihop.

Skriv på säcken vilka saker du vet att du håller fast vid – finns det något där som du inte behöver och skulle kunna ge bort?

permanent kan jag låta den lämna min hjärna för alltid. Mer plats, mer klarhet och mer lugn.

När jag var yngre tyckte jag att det var så tragiskt att mamma behövde skriva listor jämt och ständigt, men jag har definitivt tagit efter det tidsfördrivet och drivit det ännu längre än hon. Utan listorna vet jag inte vad jag skulle ta mig till. Det är mycket mer troligt att jag har kontroll över sakerna hemma och samtidigt kan behålla lugnet om jag har min nördiga anteckningsbok i närheten. Om det känns som om du har fullt av saker i huvudet, varför ger du inte det knepet en chans du med?

Musik är alltid bästa medicinen för mig när jag känner mig stressad. Jag låter musiken skölja över mig och älskar låtarnas läkande kraft. De här låtarna tar mig alltid tillbaka till mitt lugna tillstånd! Det är min lugna låtlista. Hur ser din ut? Skriv ner den här.

MIN LUGNA LÅTLISTA

Sampha – Too Much

George Harrison – My Sweet Lord

Baz Luhrmann – Everybody's Free
(To Wear Sunscreen)

Neil Young – Razor Love

Bon Iver – 29 #Strafford APTS

Elton John – Mellow

Fleet Foxes – Blue Ridge Mountains

Oasis – Champagne Supernova

Tracy Chapman – For You

Groove Armada – At the River

Laura Mvula – She

Led Zeppelin – The Rain Song

Otis Redding – (Sittin' On) The
Dock of the Bay

Bat For Lashes – Travelling Woman

Bob Marley – Three Little Birds

Chris Stapleton – Traveller

Nick Mulvey – Mountain to Move

London Grammar – Rooting For You

DIN LUGNA LÅTLISTA

HEJ TILL... KATE

För att få lite råd om hur man kan rensa ut saker tänkte jag att jag skulle vända mig till experten Kate Ibbotson.

F: Kate, du är ju en professionell utrensare. Exakt vad innebär det?

K: Jag arbetar direkt mot klienter som lider av röra och oordning – ytligt sett i hemmet och på jobbet, men när vi gräver lite djupare även i sina liv och tankar. Arbetsgången är hyfsat strukturerad:

- Jag börjar med att hjälpa dem skapa en vision av sin plats genom att fokusera på deras unika stil och personlighetstyp.
- Sedan äger den fysiska utrensningen rum genom att jag frågar dem om en viss sak tillför verkligt värde till deras liv i relation till platsen den tar.
- Jag inför organisationssystem, rutiner och lämplig förvaring som säkerställer att deras hem sköts smidigt.
- Jag har kontakt med olika välgörenhetsinrättningar, dvs. natthärbärgen, matinsamlingar och djurrättsorganisationer så att jag kan skänka nästan vilket föremål som helst för klientens räkning.

Vi riktar inte bara uppmärksamhet på fysiska saker – alla bär omkring på mentalt och känslomässigt skräp, så en stor del av mitt jobb går ut på att klura ut varför klienterna samlar på sig saker eller inte kan släppa taget om dem.

F: Hur mycket tror du att platsen omkring oss påverkar vårt sinnestillstånd?

K: Det råder inget tvivel om att det kan medföra stress att leva i en stökig miljö. Att vara omgiven av en massa fysiska ägodelar kan bombardera sinnena och förta all energi. Jag tror inte heller att det går att slappna av framåt kvällen i ett stökigt hem. Då sänder miljön signaler till hjärnan att det fortfarande finns arbete att utföra, och det skapar ångest, för det känns som en övermäktig uppgift.

Stök har dessutom andra negativa effekter som kan höja den allmänna stressnivån. Tid – den absolut mest dyrbara varan vi har – kan gå förlorad i sökandet efter förlagda ägodelar, och det kostar dessutom pengar. Det är väldigt vanligt att man köper ett extra exemplar av en ägodel som försvunnit. Jag ser också ofta att folk köper på sig fler ägodelar för att må bättre över att bo i ett belamrat hem.

Men den kanske allra lömskaste kostnad som oredan kan medföra är att människor får skuldkänslor och skäms. Det kan göra att man drar sig för att bjuda hem folk, eller får ångest över besök eller när folk dyker upp oannonserat.

Men om vi däremot omger oss med ägodelar som vi finner användbara och/eller vackra och när vi följer enkla system för att hålla ordning, så blir vi inte bara inspirerade och får energi utan ger också oss själva större möjligheter att utvecklas psykologiskt. Vi kan till exempel känna oss kreativa och starta ett projekt, och vi blir mer produktiva på grund av mindre stress och färre distraktionsmoment. Folk rapporterar till och med att deras relationer förbättras, att de gör sundare kost- och livsstilsval och att de sover bättre – allt detta för att de utövar positiv kontroll över sin omgivning.

F: Av vilka orsaker känner folk att det är svårt att skapa ordning och städa ut saker hemma?

K: Den absolut vanligaste orsaken till att man inte kan skapa ordning är att man har för många saker redan från början. Vi måste börja med att slimma och förenkla, för annars kan vi organisera i all evighet. Men vi behöver också tänka: ›Varför har vi för många prylar?‹

Den äldre generationen har i många fall präglats av efterkrigstidens lappa-och-laga-mentalitet och den har gått i arv till yngre generationer. Tar man hand om sina ägodelar sparar man pengar och uppmuntras att uppskatta dem, men den principen kan drivas för långt. Somliga klamrar sig fast vid duplikat eller ägodelar som inte längre fungerar som de ska eller som de inte längre gillar.

Och så har vi billighetsvarornas frammarsch. Det finns ingenting dåligt i sig med billiga varor (så länge de tillverkats på etiskt vis) men folk har en tendens att köpa på sig fler varor på grund av den lägre prislappen. Och framväxten av billig detaljhandel PLUS inte-vilja-ha-men-inte-slänga-mentaliteten är en väldigt stökig kombination.

Försäljarna vill att vi ska vara nöjda med våra köp, men en väldigt kort tid senare vill de att vi ska vara missnöjda! De skulle inte tjäna några pengar om vi var nöjda på lång sikt. De flesta av oss är faktiskt inte immuna mot smart marknadsföring och har vid något tillfälle ryckts med av reklamen.

En psykologisk teori kan kasta lite ljus över varför ett köp tenderar att leda till ett annat. Den så kallade Dideroteffekten syftar på processen där ett köp eller en gåva skapar missnöje med befintliga ägodelar och den befintliga miljön, vilket potentiellt kan utlösa ett eskalerande konsumtionsmönster. Ett exempel kan vara att man köper en ny soffa och efter det vill ha ett nytt soffbord att matcha det med.

En annan enkel förklaring till det ökande antalet ägodelar kan vara att befolkningen nu för tiden tar hela kategorier av ägodelar för givna som inte existerade förr om åren. Barnens leksaker marknadsförs ofta med budskap som manar till att ›samla allihop‹. Elektronikprodukter säljs med diverse kringprodukter och sladdar/kablar. (Hur vanligt är det inte att ha hela byrålådor fulla av dem?) Det har helt enkelt uppfunnits fler produkter. Allt som allt bidrar det till belamrade hem.

Folk samlar också på saker för att lugna och skydda sig själva, för att de ska ge självförtroende och auktoritet och för verklighetsflykt, frihet och underhållning. Ägodelar är uppenbarligen något som alla behöver, men det finns en gräns. Om vi innerst inne känner att vi inte ›duger‹, är ›saker‹ bara en täckmantel för vår osäkerhet. Sanningen är att vi inte kan köpa oss själva tillfredsställelse. Den måste vi odla själva – i vårt inre – annars blir det bara ett försök att fylla ett tomrum som aldrig kan fyllas.

F: Vad har du själv för regler när det gäller att städa ut?

K: Jag följer några rätt enkla regler. När den inledande rensningen av hela huset väl är avklarad går de snabbt och lätt att följa:

- Att vara medveten om vad jag köper. Jag älskar att shoppa, men känner jag minsta lilla tvekan inför ett köp genomför jag det inte, för jag vet att det kommer att sluta som stök. Är jag osäker gör jag en ›köppaus‹ – skjuter upp köpet och ser hur jag känner en vecka senare.

- Vik ett utrymme för varje ägodel. Allt i huset ska ha sin permanenta plats. Det kan vara till hjälp att ha avskiljare i byrålådor eller förvaringsboxar för mindre föremål, och det kan även vara bra att använda etiketter.

- Jag har en stor kasse i trappskåpet särskilt avsedd för välgörenhetsgåvor. När jag inser att något är överflödigt hamnar det omedelbart där. Vi är fyra i familjen och jag har märkt att en sopsäck i månaden går i väg – jag tänker mig det som att vårt hem har en omsättning!

212

- Varje ägodel måste på något sätt tillföra livet värde. Antingen för att den är praktiskt användbar – som en potatisskalare – eller för att den får mig att le – som en handskriven anteckning eller ett konstverk. Om ett föremål bär på ett negativt minne eller om jag kan hitta något annat som fyller samma funktion, så vill jag hellre ha utrymmet som det tar upp.
- Ägodelarna återförs till sina ›hem‹ efter användning. Det minskar behovet av ständig städning. Mitt motto är: ›Ställ inte ner den, ställ undan den.‹
- Jag köper inte saker i storpack. Jag försöker göra slut på badrumsartiklarna och maten i frysen. Jag tänker att det värsta som kan hända är att jag måste kila i väg till butiken för att köpa något om det verkligen behövs, och på så sätt är det enklare att hålla reda på vad jag har hemma.

F: Hur behandlar du någon som samlar på sig föremål / kläder / papper av känslomässiga skäl?

K: Det är inte så enkelt att jag bara tvingar dem städa ut allt. Jag går till botten med varför de inte kan släppa taget eller varför de samlar på sig så mycket. Är de perfektionister? Kommer det från en känsla av att de inte duger? Skjuter de upp att fatta beslut om ett föremål? Beror det på att de har ångest? Känner de inte att de har förverkligat sig själva och försöker skapa den spänningen med föremål i stället? Jag börjar alltid med att ta itu med mindre känslomässiga tillhörigheter, som till exempel innehållet i en kökslåda. Efter det går vi vidare till böcker, kläder och sentimentala ting.

F: Vad borde vi sikta på för att skapa en lugn miljö hemma?

K: Det är viktigt att ha en tydlig vision. Så jag skulle rekommendera att söka inspiration i tidningar eller på nätet. Hur den enskilda individens personlighet är eller vilka fritidsintressen hon har kommer att avgöra vilken förvaringsform som är mest lämplig. Det är viktigt att möblerna som väljs ut inte är för stora för rummen, då det kan skapa en belamrad känsla. Såväl väggförvaring som möbler med dubbel funktion eller extrahyllor kan göra enormt stor skillnad. Tillhörigheterna bör vara enkla att nå och förvaras nära platsen vi använder dem på – då blir sannolikheten större att vi lägger tillbaka dem på sin plats efter användning.

PLATSER UTAN LUGN

Vi vet alltså att vi har våra lugna ställen och vi vet att vi har förmågan att skapa våra egna magiska platser, men hur blir det när vi måste gå till ställen som känns jobbiga? Hur finner vi lugn i det kaoset? Jag kämpar väldigt mycket med det och försöker ständigt bli bättre på att skapa en egen liten zon av stillhet i galenskapen. Både min man och jag tycker att det är lite obehagligt med stora, skräniga fester. Jesse dricker inte, så för honom finns inte ens alternativet att berusa sig för att slappna av i folkmassan. För mig är det de paranoida känslorna som tar över. Jag får panik över sakerna jag säger och intrycket jag ger och känner mig genast töntig och genomskådad. Jag förutsätter att alla andra känner sig trygga och självsäkra medan jag klistrar på ett leende och småpratar med obekanta, men det känns som om alla andra kan se vartenda misstag jag någonsin gjort. Det känns som om alla har röntgensyn och ser igenom mina leenden och sminket och lägger märke till luckorna i min historia. Visst händer det att jag går ut och utan någon särskild anledning känner mig mer självsäker än vanligt och smälter in i folksamlingar lättare och mindre tafatt. Jag älskar när det händer, men för det mesta känner jag mig bara besvärad. Jäktiga miljöer har en tendens att ta mig ur mitt lugna tillstånd och kännas lite som en utomkroppslig upplevelse, men jag försöker hänga med i samtalen och avstyra fadäser och pinsamma ögonblick likt gropar på landsvägen.

I sådana stunder försöker jag ta ett kliv tillbaka. I stället för att tappa kontrollen och pladdra på i panik andas jag bara och låter händelserna ske naturligt. I samtalen försöker jag ställa frågor snarare än bara låta munnen gå, vilket också bidrar till att avleda uppmärksamheten och dramatiken från den förestående katastrofen. Om någon inte verkar intresserad av att prata med mig kommer jag på ett sätt att artigt avvika för att finna mitt lugn någon annanstans.

Det finns förstås stunder då det kan vara rätt kul att glida in i kaoset. Bara man planerar att komma tillbaka till lugnet senare kan det kännas uppfriskande att ta sig vatten över huvudet. Om jag är på ett evenemang med jobbet där jag känner att jag är ute på djupt vatten, när jag är omgiven av kändisar eller folk som uppfattas som inflytelserika, så utmanar jag ibland mig själv att gå lite närmare i stället för att helt och hållet fjärma mig från energin. Eller så kanske jag är på ett bröllop där jag bara känner två personer, men i stället för att klamra mig fast vid dem och halsa likör utmanar jag mig då att gå och prata med folk jag aldrig har träffat förut. Kanske känns det galet onaturligt och smått obehagligt, men i de regionerna finns det mycket vi kan lära om oss själva. Det gäller att finna balansen mellan att känna sig bekväm nog att vara öppen för lärdomar men samtidigt modig nog att kliva ur trygghetszonen.

Med mitt konstiga jobb har jag tvingats hoppa ur trygghetszoner vid så många tillfällen och känt mig miljontals mil från mitt lugn. Jag har intervjuat människor som har sådan karisma och sådant självförtroende att jag känt mig pytteliten, och jag har spelat in program på platser där kaoset känts totalt och okontrollerbart. Då har jag bejakat kaoset och lärt mig massor om mig själv – och haft väldigt kul på köpet. Sådana ögonblick blir också påminnelser om att vi alla i grunden är likadana. När vi hamnar i en grupp människor som känns väldigt annorlunda än vi kan det kännas kaotiskt. Vi kan känna oss främmande och besvärade, men när vi väl pratar med de nya personerna inser vi snabbt att vi alla innerst inne är desamma. Alla har vi förmågan att älska, utvecklas och förändras, och att inse det är djupt lugnande. Om vi gör oss av med känslan av att vara annorlunda eller utanför så kan vi slappna av på nya platser och i nya situationer lite lättare.

Att komma tillbaka till lugnet efter en period av kul kaos är inte alltid så enkelt, men genom en kombination av tid och eftertanke lyckas jag för det mesta till slut. Jag brukar sova dåligt efter ett nytt hektiskt jobb, då jag försöker bearbeta alla nya känslor och saker som har sagts så att jag kan börja kravla mig tillbaka till lugnet. Det behövs en ordentlig stund då jag skakar av mig energin från nya människor och nya platser som jag upplevt den dagen. Mitt huvud rasslar igenom dagens bästa och sämsta stunder och försöker få grepp om vad som händer så att jag kan börja släppa taget och sova. Nästa dag känner jag då fortfarande av efterdyningarna av att ha klivit ur trygghetszonen, men jag är också en liten bit närmare lugnet.

Om du blir nervös av jäktiga miljöer eller om nya människor får dig ur balans i någon mån, försök då alltid komma tillbaka till vetskapen att det inte spelar någon roll vad andra tycker om dig. Om jag är ute med mina barn och ett av dem får ett raseriutbrott kan det kännas som en total katastrof och väldigt pinsamt för stunden. Jag blir förmodligen högröd i ansiktet, irrar runt och försöker göra mig så liten som möjligt för att minimera skadorna. Jag vill inte verka misslyckad eller att folk ska få förutfattade meningar, så jag tappar lugnet totalt. Men om jag kan ta ett steg tillbaka i de stunderna – finna min fridfulla plats inombords, andas djupt och komma ihåg att det inte spelar någon roll vad andra får för sig – så blir allting bra. När vi känner att vi totalt har tappat kontrollen måste vi försöka titta inåt och bara hantera det som sker, och under tiden blockera vad som händer omkring oss. Vi kan inte komma tillbaka till lugnet om våra blickar och tankar vandrar för långt bort från våra egna

Om du känner dig stressad i hektiska miljöer, upprepa denna enkla mening för dig själv. Den kan hjälpa dig att fokusera på att komma tillbaka till ditt lugna tillstånd. Har du något eget lugnande mantra?

MITT MANTRA

Jag är trygg, jag är älskad

DITT MANTRA

hjärtan. Jag tror att vi i denna tidsålder oroar oss alldeles för mycket över vad andra tycker, vilket skapar ångest för alla och envar. Om du känner dig kaotisk i sällskap med andra eller i överfulla utrymmen, försök bara att hålla fast vid din egen lilla punkt och vad som sker inom dig. Skapa din egen fridfulla zon bland all galenskap.

Sammanfattning

SKAPA DITT EGET RUM.

Stort, litet, färgstarkt, enkelt – gör ett fysiskt utrymme dit du kan gå för att få lugn.

RENSA UT.

Städa ut röran i ditt hem, så kommer tankarna att göra likadant!

TA LUGNET MED DIG.

När du är på »olugna« platser, andas och kom ihåg att lugnet finns inom dig.

HUR SER EN LUGN MILJÖ UT FÖR DIG?

Skriv ner ett ord eller rita en bild här som sammanfattar det.

LUGN FRAMTID & LUGN INFÖR DET OKÄNDA

Kan du blicka in i framtiden och känna dig trygg? Kan du kika ut mot horisonten och hoppas och tro att något gott ska komma? Det är så mycket enklare för vissa än andra. Min egen förtröstan och optimism har tagit en del stryk genom åren, då erfarenheterna har skalat bort lagren av självförtroende likt lossnande tapeter och uppdagat en mer känslig och blottad variant av mig själv. Att jag var mer stabil i tonåren och tjugoårsåldern beror nog på att jag hade mindre erfarenhet av sorger och bedrövelser, och den rena naiviteten gav mig en härligt stryktålig rustning.

VAR FÖRBEREDD

De flesta av oss vet och förstår att det är bäst att leva i NUET, att gripa tag i stunden och få ut så mycket vi kan av den för att den verkligen ska räknas. Det är mycket lättare sagt än gjort, men det finns många skäl att se efter vad som finns omkring en i stunden, känna lukterna, lyssna på ljuden och förnimma känslorna i det som finns NU. Har vi den inställningen kan det vara till kolossalt stor hjälp för att leda oss tillbaka till lugnet. Skilj ut framtiden från ditt nu, just denna millisekund du befinner dig i, så ska du se att du med allra största sannolikhet mår bra. Om du befinner dig i stunden men ändå känner dig ledsen, arg eller utmattad, tänk då efter: Handlar dina känslor för närvarande verkligen om vad som omedelbart sker med dig eller beror de på vad som kommer att hända eller skulle kunna hända i framtiden eller vad som har hänt i det förflutna?

Hur mycket vi än praktiserar denna teori och känner av fördelarna är det i denna tidsålder nästan omöjligt att INTE blicka framåt. Det är så mycket som vi behöver organisera, med arbetet, umgänget, familjelivet och möjliga äventyr att vi behöver finkamma logistiken för framtiden. Hur lätt är det att göra det utifrån en lugn utgångspunkt?

Vissa kan faktiskt känna sig lugnare i att förbereda sig mentalt för en eventuell situation i framtiden än att flyta med strömmen av det oförutsedda. Vi kan skapa våra egna snuttefiltar genom knep vi har lärt oss med tiden. Kanske börjar en jobbintervju närma sig som känns skrämmande, men så vet du att förberedelser och research är verktyget som gäller för att lugna tankarna och dämpa den surrande energi som uppstår när du tänker på framtiden. Det kanske kan leda till konfrontation, och du känner att om du har en någorlunda väl avvägd framtoning kommer det att finnas mindre utrymme för klumpigheter och misstag. När jag har ett jobb som närmar sig som jag bävar inför vet jag att genom att göra alla förberedelser och läsa på så mycket jag kan om situationen kan jag känna mig tryggare och lugnare när jag närmar mig det okända. Kliver jag in på nya arbetsområden illa förberedd får jag panik med en gång.

Att ha lite positiva tankar och reservplaner till hands kan förstås också vara en fördel om du väntar på resultaten från en tenta eller hälsokontroll. Då kan det hjälpa dig att acceptera den nya informationen från en lugnare utgångspunkt.

Genom att förbereda oss och vara metodiska i nuet kan vi känna att vi har mer kontroll över och vara mer positiva till framtiden, vilket bör leda oss tillbaka till en lugnare plats i vårt inre.

RÄDSLAN FÖR »TÄNK OM«

Som jag nämnde i kapitlet om hjärnan har jag nyligen varit med om ett och annat anfall av panikångest på grund av bakomliggande stress och utmattning som jag inte tagit ordentlig notis om. Ett tag gav den erfarenheten upphov till en ny oro över att köra bil i hög hastighet. Förr flängde jag omkring med min trogna gamla Mini och avverkade till och med större delen av USA med en gul Mustang i arbetets och äventyrets namn, och inte en enda gång kände jag något annat än ren och skär glädje. Den här nya rädslan som jag fått var ett tag ganska irriterande, men jag visste att den låg helt och hållet i en påhittad framtid. Rädslan var starkt kopplad till vad som skulle kunna hända snarare än vad som hände för stunden. Men tack vare några starka visualiseringar och betydligt mindre

Även om vi känner oss svaga och rädda för närvarande lär det finnas tidigare ögonblick då vi har visat otrolig **styrka**. Tar vi vara på de minnena påminner vi oss själva hur uthålliga vi kan vara när det behövs. Skriv ner en lista över **personliga stunder** då du visat prov på dold styrka och lägg din förmåga och potential på minnet.

stress i mitt liv är jag nu bokstavligen tillbaka i förarsätet. Nu försöker jag ta kontroll över min andning och sakta ner, sedan föreställa mig att jag har rötter djupt nere i marken. Jag sugs ner i jordens inre, och allt det stabila hindrar mitt huvud från att bli så lätt att det flyger i väg från kroppen.

Du kanske också har en oro som sitter i muskelminnet om hypotetiska framtida händelser. Kanske en återkommande situation som genomsyras av fruktan och ångest.

Jag tror att det finns vitt skilda orsaker till att vi är rädda för vissa »tänk om« i framtiden. Vi kan antingen vara rädda för att rädslorna ligger i ödets händer och är okända ELLER för att vi har varit med om jobbiga saker förr som lamslår oss och hindrar oss från att försöka på nytt.

HANTERA DET OKÄNDA

Låt oss börja med den första orsaken: det ljuvliga men skrämmande okända. Som barn tar vi oss förbi våra »debuter« med beslutsam lätthet. Vi tar våra första stapplande steg med knubbiga fötter och när vi trillar omkull reser vi oss genast upp och försöker igen. Vi kanske ramlar med cykeln flera gånger efter att stödhjulen tagits av, men så hoppar vi upp igen och susar i väg. Vi pratar med andra barn som vi inte känner utan att skämmas eller vara rädda för att bli avvisade. Allt känns som ett befriande äventyr snarare än skrämmande och riskabelt. Men någonstans på vägen tappar vi lite av denna vilda sorglöshet och låter oron sippra in. Naturligtvis finns det alltid några udda, otroliga och helt orädda individer, fast jag kan säga med en gång att jag inte är en av dem. Men jag ÄLSKAR att ge nya saker en chans och står ständigt och stampar rastlöst tills jag rört mig in i nytt och utmanande territorium. Jag har bytt karriär flera gånger, slutat på jobb som jag har trivts jättebra med och gett mig in i saker som jag inte har någon naturlig fallenhet för, allt för att uppleva äventyr och utveckling. Det betyder för den skull inte att jag någon gång gjorde det utan att vara rädd. Varje steg tog jag med rädslan stadigt tryckt mot axlarna.

Med åldern får vi höra allt fler historier om människors missöden och blir mycket mer medvetna om att andra har förutfattade meningar om oss. Ibland leder det till att vi hämmar våra egna upplevelser för att vi är rädda vad andra ska säga eller hur de ska reagera, vilket skapar massor av ångest när vi vill prova på något nytt. Men jag tycker att vi allihop borde ge våra drömmar och förhoppningar en ordentlig chans även om vi känner av den där bördan av andras uppfattningar och vår egen rädsla. Och jag tror att det finns ett sätt att göra detta från en lugn utgångspunkt snarare än av stress.

När jag började skriva min första kokbok blev jag ibland nästan förlamad av ångest över vad andra skulle tycka om projektet. Jag hade just avslutat ett decennium på Radio 1, där jag utnyttjat mina kunskaper om musik för att klara jobbet, men för det stora antal människor som lyssnade på mig varje dag fanns matlagning inte på kartan. Skulle folk tro att jag bluffade? Skulle professionella kockar skratta ut mig och håna boken? Skulle någon verkligen gilla det jag hade att erbjuda?

Dagen innan boken släpptes hade en släng av bluffsyndrom tagit kål på all min entusiasm. Har du känt så någon gång? Som om alla andra

När det oväntade plötsligt dyker upp från ingenstans kan det snabbt ta oss bort från vårt **lugn**. Om du känner dig fångad i ett jobbigt tillstånd, försök ta dig tillbaka in i **ringarnas centrum**, till ditt eget lugn. Gå igenom några av de här förslagen för att se om de hjälper.

Tänk på hur älskad du är

Ring en bra vän

Ät nyttigt och ta hand om din kropp

Kom ihåg att även detta får sitt slut

Försök att sova ordentligt på natten

Tiden läker alla sår

LUGN

inom ditt område presterar på topp medan du bara fejkar alltihop? Jag kan inte tänka mig att jag är den enda som har gripits av den kvävande känslan. Har du känt att någon skulle kunna knacka dig på axeln vilken minut som helst och ge dig sparken eftersom du är en bluff? Jag är övertygad om att den känslan kan drabba vem som helst, även dem som du eventuellt ser upp till inom ditt eget yrke. Kanske finns det någon på jobbet som du verkligen beundrar eller strävar mot att efterlikna – jag kan slå vad om att till och med de har känt så då och då. Ännu efter tjugo år, hundratals direktsända TV-program och otaliga intervjuer känns det ibland fortfarande som om jag skarvar här och där. Även när jag vet exakt vad jag gör och det känns hyfsat naturligt kan demonerna dyka upp och trycka ner mig rätt snabbt. Jag kan känna mig isolerad eftersom det finns människor som gärna framstår som frapperande självsäkra för att dölja sin egen rädsla och oro. Som tur är har jag några ärliga vänner som jobbar i samma bransch och som inte har något emot att medge att de fått lite panik ibland, vilket genast får mig att må bättre.

Det finns också personer som luktar sig till denna osäkerhet likt en gris som sniffar tryffel och frossar i de små fragment av självtvivel man visar upp. I samband med att jag släppte kokboken var det särskilt en journalist som i stället för att göra en vanlig intervju bestämde sig för att bara sätta dit mig. Hans enda syfte verkade vara att trycka ner mig i skorna. Eftersom jag är rätt känslig av mig klarar jag mig inte alltid så bra i de situationerna, så jag blev ännu mindre självsäker när det gällde hur boken skulle uppfattas av andra. Denna »debut« visade sig bli lite jobbigare än jag hade tänkt. Som tur var fick jag massor av positiv respons när boken väl hade kommit ut, och jag uppskattar verkligen alla som bläddrade igenom boken och berättade vad de tyckte. Jag har också insett att den tidigare nämnda journalisten måste betrakta livet på ett väldigt annorlunda sätt än jag. Just denna individ vill nog inte se något gott i andra, eller känner sig möjligen lite missnöjd med sina egna prestationer. Det måste finnas en anledning till att han närmade sig någonting ganska oskyldigt från en sådan angreppsvinkel. Jag kan bara önska honom lycka till i framtiden.

Jag tror att det är meningen att nya initiativ ska kännas skrämmande, men den rädslan bör inte avskräcka en från att göra det man verkligen vill göra. Vi behöver inte oroa oss över vad andra tycker när vi söker förändring i livet. Förändringar är nästan alltid både jobbiga och magiska, för det är detta energiskiftes paradoxala natur. Vi måste koncentrera oss på att ta oss själva igenom varje skrämmande ögonblick hela och rena och minnas att njuta av livet under tiden. Som tur var förvandlades erfarenheten att skriva min första bok till någonting väldigt positivt och jag gav mig tusan på att inte låta någon enstaka journalist släcka gnistan, så jag fortsatte med att skriva flera till. Varje gång har jag varit rädd för människors synpunkter och kritik, men nu försöker jag se alltsammans som ett äventyr snarare än något att få panik över. I slutänden är jag glad att jag tog risken. Även om den där kokboken inte hade fått ett bra mottagande skulle jag ha gett världen något som jag brann för – det skulle alltid vara värt ett försök, och det var dessutom en väldigt kul utmaning. Ta risker, ge det nya en chans och fokusera på det positiva i framtiden i stället för alla skrämmande »tänk om«.

URSPRUNGET

Om du känner dig skrämd av något borta vid horisonten, kan du då spåra orsaken till den rädslan? Det kan ofta bidra till klarhet och perspektiv. Beror det på att du har misslyckats tidigare inom samma område? Eller är det bara för att det är »det okända«? Kom ihåg att livet inte är något som bara upprepar sig. Det finns inget fastslaget sätt som ditt liv kommer att utspela sig på, och saker och ting kan förändras på ett ögonblick. Om du är rädd att göra samma misstag, kom ihåg att resultatet lika gärna kan bli totalt annorlunda än tidigare. Om du är rädd för att det okända får dig att känna dig osäker, tänk tillbaka på en tid då någonting nytt har gett dig positiva känslor. Jag är säker på att ni alla har haft några sådana stunder, om det så bara är ett litet ögonblick som fick er att uppmärksamma en ny vän, ett nytt jobb eller ett nytt äventyr. Minns de känslorna och försök minnas att samma positiva känslor kan tillämpas på vilken nyhet om helst vid horisonten.

Känner du ibland att det vore dumt att bli uppspelt över framtiden och i stället ersätter sådana känslor med fruktan eller ängslan? Kanske har du blivit sårad förut och inte litar på världen och allt som ligger framför dig. Jag minns en fantastisk podcast av Brené Brown, som är en analytiker och inspirationsföreläsare som jag är väldigt fäst vid. Hon mindes en intervju som hon gjort till en studie med en man vars fru just avlidit. Han sa att han alltid hade varit rädd att hänge sig åt framtida glädje och lycka, eftersom han var rädd att benen plötsligt skulle slås undan för honom. I stället försökte han bara hitta ett mellanläge mellan känslorna så att han inte sårades alltför djupt. När hans fru dog insåg han att han aldrig skulle kunna skydda sig själv från lidande genom att leva så. Det hade bara lett till att han slösat bort många år av sitt liv, och sin fru hade han förlorat ändå. Han ångrade att han inte hade hängett sig åt lyckan och de glada stunder som väntade och i stället låtit rädslan hämma upplevelserna. Så tro inte att det är dumt att se fram emot framtida händelser. Världen väntar inte på sin chans att fälla krokben för dig, och den kommer inte heller att sitta passivt någonstans mitt emellan alltsammans och skydda dig från stress eller lidande. Om du känner dig entusiastisk över något – var entusiastisk och njut av varenda minut.

DET OKÄNDA ÄR EN MÄKTIG KRAFT

Framför allt tycker jag det är oerhört viktigt att minnas att »debuterna« har en väldig kraft på så sätt att de hjälper oss att flyta igenom livet. Att pröva något nytt öppnar upp ett rum inom oss att lära oss mer och se livet klarare. Varje gång vi träffar en ny person eller tar itu med en ny utmaning belönas vi med lite mer klarhet och en vidgad syn på livet. Även om förändringen eller nya omständigheter känns hemskt jobbiga för tillfället kommer lärdomarna och den ökade insikten vara 100 procent med oss längs vägen. Det ger möjlighet att tänka utanför ramarna och se nya dimensioner i livet som vi kanske inte hade lagt märke till förut.

Jag har märkt att när jag fastnar i gamla hjulspår och vägrar ta in förändringar och nya saker så känner jag att jag bara står och stampar. Jag hämmar mitt eget lärande och förändringarna känns efter ett tag som ännu större uppbrott än förut. Alla lär vi ha känt att vi har fastnat någon gång i livet, stunder då vi känner att vi vill bort eller längtar efter förändring men inte gör något åt saken. Vi motsätter oss förändringar för att det känns stressigt, vilket i sin tur beror på att vi är rädda. Vi är rädda för vad som kan hända även om vi har en känsla av att det kan vara någonting bra. Genom åren har jag insett att om jag över huvud taget får en tanke eller ingivelse, så är det oftast ett tecken på att jag borde få tummen ur ändan och ge det en chans. Om så krävs kan jag ta fram den klyschigaste frasen av dem alla ur min mentala arsenal: »Man lever bara en gång.« Vi vet alla hur snabbt tiden går och att åren rinner i väg på ett ögonblick, så varför vänta? Jag är rätt säker på att de flesta av oss när vi blir gamla och gråhåriga och har en och annan historia att berätta knappast kommer att önska att vi INTE hade testat nya saker. Och jag är nästan helt säker på att vi inte kommer att ångra utmaningarna vi tog oss an, även om vi misslyckades med dem. Ångra oss kommer vi att göra bara om vi inte ens försökte. Se på nya saker och debuter som något kul, spännande och rebelliskt. Visst, rädslan och ångesten kan få följa med på resan, men de får hålla sig i bakgrunden så att vi verkligen ger oss själva chansen att utforska vår fulla potential.

DET FÖRFLUTNA PÅVERKAR FRAMTIDEN

Raskt över till den destruktiva ångest som uppstått i det förflutna. Här kommer ett exempel från mitt liv som jag inte oroar eller stressar upp mig så värst över numera, men som har gett mig en konstig ovana som verkligen irriterar mina kompisar. Jag svarar inte i telefonen. Det är otroligt sällsynt att jag gör det, och när det överraskande nog händer känner mina vänner sig nästan hedrade över att jag vågade trycka på »SVARA«. Det handlar helt och hållet om några knäckande telefonsamtal som jag fick för länge sedan. När jag hör telefonens pipande signal numera vänder det sig i magen och jag förutsätter att det är någon som ringer för att ge mig hemska besked eller tala om att någonting är fel. Det känns betydligt mindre oroande och mycket lugnare att bara inte svara. Många tycker att det är irriterande, det vet jag, men kom igen, jag är en jävel på SMS! Det här var bara ett litet exempel på hur vårt förflutna kan påverka vårt allmänna stresstillstånd, men det kan förstås spåra ur och bli väldigt hämmande. Om vi har upplevt någonting hemskt, hur ska vi då lära oss att lita på det okända igen? För jag tror faktiskt att det är möjligt, vilket många otroliga människor som jag mött i mitt liv har visat.

Min kära vän Zephyr Wildman, som skrev ett sådant underbart yogaavsnitt i min förra bok *Glad*, har en historia märkt av sorger och bedrövelser men fortsätter att leva livet på det mest livfulla och positiva sätt hon kan. Zephyrs man dog i cancer för ungefär sju år sedan och efter detta absurda trauma lämnades hon ensam med två små flickor. Jag vet inte riktigt hur hon lyckades ta sig förbi den enorma smärtan och komma ut på andra sidan starkare och ännu mer fantastisk än förut... men det gjorde hon. Hennes döttrar är sådana underbart smarta och förnuftiga tjejer och Zephyr själv har funnit kärleken igen. Hon har gift sig med sin förträfflige man Christian, som har tagit på sig rollen som pappa till hennes barn och dessutom gett henne all tröst och allt stöd hon behöver. Hon fortsatte tro på kärleken och har dessutom en stark tro på livet, vilket gav henne möjlighet att kasta sig i en kärleksfull famn utan den ständiga oron eller paniken över att allt kan tas ifrån henne igen. Den morbida realiteten i hur grymt livet kan vara må leva kvar hos henne, men det har inte hindrat henne från att finna de bra saker som hon så gärna velat ha och så väl har förtjänat. Denna historia är en evig inspirationskälla för mig, då den bevisar att vi inte behöver frukta framtiden efter förluster eller mörka perioder i livet. Vi kan ha förtröstan, övervinna rädslan och försöka på nytt. Vi kan resa oss ur stoftet efter sorger och bakslag och ge livet en ny chans.

Jag har fått sparken från flera jobb, blivit dumpad av många män, blivit hånad av främlingar och misslyckats totalt med personliga målsättningar, men jag har inte gett upp. Ibland måste vi stanna upp och berömma oss själva för att över huvud taget kunna gå vidare. Jag är så glad att jag inte gav upp varje gång och låste in mig i ett rum fullt av böcker och kakor (det är så jag föreställer mig ett liv i avskildhet). Jag har fortsatt jobba med saker jag älskar, funnit kärleken och blivit hela tiden mer motståndskraftig mot andra människors förutfattade meningar. Visst finns det en del rädslor som lurar runt hörnet i vissa delar av mitt liv och mörka fläckar som behöver avlägsnas, men genom åren har jag lärt mig att inte låta min bakgrund bestämma vem jag är i dag. Om vi minns att vi inte behöver VARA vår historia kan vi bli av med en del av spänningarna och stressen över dem vi »tror« att vi är. Vi förutsätter att vi ÄR alla våra bekymmer och rädslor. Att vi ÄR våra misslyckanden och våra svagheter – men det är vi faktiskt INTE. Varenda person i världen har, även om det inte verkar så, gjort misstag, misslyckats och brottas just nu med någon form av problem i livet. Kan vi bara ta till oss den tanken kan vi ta steget in på nytt territorium medvetna om att miljontals människor går igenom samma sak och faktiskt har gjort det i tusentals år.

Vissa jobbiga händelser i livet kan verka omöjliga att komma över. Skräckhistorier med filmiska kvaliteter som inte går att få ur tankarna. Dessa efterhängsna knölar kan ibland behöva jämnas ut med andras hjälp. Du kanske har en nära vän som känner dig utan och innan och som kan hjälpa dig att se ljuset igen. Om inte kanske professionell terapi är något för dig. Ingen borde behöva leva i fruktan för det förflutna, och absolut inte för framtiden på grund av tidigare händelser. Alla har rätt att börja om från början.

Ibland behöver vi få någon annans tillstånd för att släppa taget om gamla vanor och mönster som beror på händelser i det förflutna. Ibland behöver vi en försiktig påminnelse om att vi inte behöver vara vår historia. Vi kan sitta lugnt i NUET och vara medvetna om att allt som har hänt kan påverka oss, men det definierar inte dem vi är.

DET FÖRFLUTNA

Alla är vi rädda för saker i framtiden på grund av vårt förflutna. Det kräver ständigt arbete att inte låta saker som hänt förut påverka oss i nuet, men det är faktiskt möjligt. Första steget är att identifiera vilka minnen som bestämmer delar av våra liv just nu. Fyll i de år som känns relevanta för dig i tidslinjen nedan och nämn händelser i det förflutna som har påverkat hur du lever i dag. Nämn sedan i rutorna närmast intill »i dag« de händelser och bekymmer som du vet påverkas av dessa förflutna händelser.

I DAG

FÖRESTÄLLNINGAR
OM FRAMTIDEN

När jag oroar mig över något som ska hända brukar jag försöka lugna ner mig genom att gå igenom några visualiseringar. Jag målar upp situationer såsom jag vill att de ska utspela sig och föreställer mig känslorna som kan uppstå i de ögonblicken. Naturligtvis kan vi aldrig veta vad som väntar runt hörnet, men går vi igenom scenarier och möjliga sätt att reagera på dem i förväg får vi självförtroendet vi behöver för att inse att vi kommer att kunna ta oss igenom dem.

Att visualisera och drömma om det vi vill ska hända kan också vara väldigt kul. Gör vi det bara från en positiv utgångspunkt finns inget ont i att föreställa oss att de härliga situationer vi drömmer om ska förverkligas. Vi måste räkna med en och annan vändning i handlingen, men om vi är öppna för förändringar och tillfälligheter – även sådana som vi inte riktigt hade tänkt oss – så vet vi åtminstone att vi skickas i väg i en annan riktning, som skulle kunna vara lika spännande eller kanske kan ge nyttiga lärdomar.

Jag har alltid gjort mig starka föreställningar om att bli mamma. Jag har tänkt mig barn som en del av min historia från första början och hade turen att få se den drömmen gå i uppfyllelse. Min »vändning i handlingen« var att dessutom få styvbarn på köpet. Jag hade aldrig föreställt mig eller tänkt så mycket på den möjligheten, men det var bara att gilla läget, och nu älskar jag min nya roll som styvmamma samtidigt som jag är mor till mina egna barn. Moderskapet blev inte exakt som jag fantiserat om och visualiserat – och jag visste att det skulle medföra en hel del arbete och organisation att ha egna barn utöver styvbarnen – men det spelade ingen roll för mig alls och nu kan jag inte föreställa mig mitt liv på något annat sätt. Om vi accepterar att våra drömmar och förhoppningar kan få väldigt olika utfall förhindrar vi onödigt mycket panik över nya stickspår. Det lämnar dessutom utrymme att se klart och tydligt vad vi kan ha att vinna på oväntade händelser. Nya lärdomar, kärlek i oväntade former, nya idéer och tankar om livet – allt finns i korten om vi bara inte fastnar i våra föreställningar om hur livet bör utveckla sig.

FINNA LUGN I DET OVÄNTADE

Men hur gör vi för att hålla lugnet i sikte när vi känner att livet har spårat ur totalt? När det oväntade kommer slag i slag och vi blir blinda för de bra sakerna och vårt inre lugn? Det har funnits några ögonblick i mitt liv då det kändes som om ingenting stämde. Från ingenstans kom oönskade situationer som inte verkade föra med sig något gott just då. Jag kunde inte förstå lärdomarna som gick att dra eller att någon utveckling över huvud taget var möjlig, vilket ledde till att jag blev väldigt förvirrad. I sådana perioder tror jag att tiden är den största trösten vi har att fokusera på. Ibland kan man vara så desperat att det är det enda halmstrå som går att gripa tag i – allt annat verkar så flytande och ovisst, men klockans tickande kan man i alla fall lita på. Det är en pytteliten tröst att sjunka in i som kan hjälpa oss på vägen tillbaka till lugnet. De flesta situationer har ett sista förbrukningsdatum – dåliga tider tar slut, klarheten infinner sig och lärdomarna faller på plats. Hur hemska mina jobbiga perioder än har känts kan jag nu se positiva saker som just då verkade osynliga. Nästa gång jag spårar ur hoppas jag att jag i stället för att bli rädd och få panik ska kunna ta till mig lite mer lugn under händelsernas gång – eftersom jag vet att den jobbiga situationen kommer att gå över precis som den gjort förut, att jag kommer att utvecklas mentalt och känslomässigt och att dessa historier och ögonblick inte bestämmer vem jag är. Jag är inte säker på att någon i världen någon gång har grejat detta helt och hållet, men jag tror att vi alla blir lite bättre på det i takt med erfarenheterna.

Ett annat motto som jag försöker leva efter är: »Spelar det verkligen någon roll?« Ibland verkar jobbiga ögonblick väldigt dramatiska och kaotiska, men de kan faktiskt lösas eller redas ut med lite eftertanke och lugn inställning. Om det är en situation som vi innerst inne vet får minimala följder inser vi snart att det tillfället totalt kommer att glömmas bort. Vi kan ändå lära oss en läxa, men effekten av händelserna blir snarare små gupp på vägen än stora avgrunder. Om jag kommer för sent till något har jag en tendens att bli stressad och röd i ansiktet, för jag vill inte svika någon eller verka otrevlig. Då måste jag försöka hitta tillbaka till tanken att denna händelse i det stora hela inte kommer att ge något katastrofalt resultat. Om folk blir upprörda över förseningen får jag be om ursäkt och sedan är det upp till dem hur länge de vill fortsätta vara irriterade.

Om mina barn inte äter sin mat blir jag spänd och orolig och känner att jag har misslyckats som mamma. Jag får panik över att jag inte har inskärpt tillräcklig disciplin eller mod i dem att prova på nya maträtter och bannar mig själv för det jämt och ständigt. Men återigen, om jag fokuserar och försöker tänka på att det egentligen inte spelar någon roll och att de sannolikt kommer att äta bättre nästa vecka så kan jag släppa taget om den ångesten. Den tjänar inget syfte. Jag ger dem inga lärdomar. Mina barn behöver inte något nervöst beteende från min sida och det kommer definitivt inte att göra någonting åt det aktuella problemet. Dessa små stressfaktorer i tillvaron är olyckliga, men vi får inte missbedöma magnituden – vi får inte förstora dem och blåsa upp deras betydelse, för då kan den stressen snabbt bli vårt utgångsläge i livet och vi hamnar i ett skede där ingenting går vår väg. Den typen av stress kanske inte ens verkar värd att diskutera, men jag tror att många av oss drunknar i livets små problem och denna underliggande stress orsakar faktiskt många mentala och fysiska problem. För min del kan det handla om huvudvärk, ont i ryggen eller besvär med matsmältningen. För dig kanske det är ont i ryggen, sömnproblem eller besvär med huden. Den här stressen kan gå ut över en relation eller helt enkelt hindra en från att ha kul. Man måste få utlopp för denna trötta, överflödiga stress över trivialiteter, vilket många gånger sker fysiskt. Den banala bakomliggande stressen triggar så många andra oönskade och ovälkomna problem i livet att vi måste anstränga oss ordentligt för att observera den och genast stoppa de dåliga vanorna. De är helt enkelt inte värda det.

Sedan kommer de livsexplosioner som faktiskt verkar betyda något. De stora: nära och kära som blir sjuka eller när vi blir lämnade och övergivna eller kanske har egna problem med hälsan. Att ta sig igenom ögonblick som dessa kan kännas som en svår och omöjlig resa utan något slut. Det är då vi måste ha andra att stödja oss på. Det är då det starka nätet av vänskapsrelationer behöver prövas. Var aldrig rädd att ta stöd av vänner – och familj – för de kan ofta vara det absolut bästa botemedlet mot stress.

Om den jobbiga situation du genomlever känns isolerande och du inte är säker på att någon av dina närmaste kommer att erbjuda det stöd och den empati som behövs, kolla om det finns hjälp att få i området där du bor. Finns det någon grupp som kan hjälpa dig att känna dig förstådd? Har sjukvården hjälp att erbjuda? Eller så kanske du bara kan göra någonting nytt under dagarna som ger lite verklighetsflykt från den tunga situation du går igenom. Att känna sig stöttad och uppmärksammad i de lägena är otroligt viktigt, för att lägga ensamhet och isolering till alla andra problem är knappast det vi behöver.

I dessa tunga perioder kommer lärdomar att kännas oönskade och extra svåra att ta till sig, men de skulle kunna hjälpa dig att se en liten ljusglimt någonstans längs vägen. Kanske kan du sändas i väg i en ny riktning i livet så fort du lyckats ta dig ut ur mörkret. Kanske kommer du att betrakta livet på ett helt annat sätt. Kanske kommer du att känna allting mer intensivt och söka upp det djupa och meningsfulla i livet på ett sätt som du inte gjort förut. Jag tror att jobbiga upplevelser ibland kan föra med sig några intressanta alternativ. De kanske inte är ett magiskt botemedel mot smärta och lidande, men de kan hjälpa dig att ta dig igenom det. Om panik känns som din standardinställning på grund av en tidigare jobbig situation, sök hjälp och var snäll och försiktig mot dig själv. Få inte skuldkänslor för att du prioriterar de sakerna. Vi behöver kärlek till och omtanke om oss själva i svåra tider, så att vi kan ta oss igenom dessa förrädiska passager helskinnade.

FÖRVÄNTA DIG DET OVÄNTADE (OCH NJUT AV DET!)

Som jag nämnde tidigare är min erfarenhet att sämsta vägen att gå är att stå still. Om vi inte i alla fall öppnar ögonen för förändring och en möjlig lösning har vi ingen chans att röra oss snabbt genom stressfyllda perioder. Om vi räknar med att förändringen ska poppa upp ur avgrunden är det mer troligt att vi fastnar i kvicksand och inte kan ta oss upp. Det är förvånande hur mycket styrka vi har som döljer sig inom oss, och dessa superkrafter verkar vara nära förbundna med lugn. Tänk tillbaka på det där ljuset som lyser ur sternum. Vi har alla en sådan styrka inom oss – det är ingenting unikt för några få utvalda. Om vi öppnar våra hjärtan och gräver djupt kommer vi att finna en glödande kolbit som väntar på att tändas igen och komma till användning. Denna styrka kan stundtals ha makt att bekämpa rädsla och panik och kan få en att känna att man har något större kontroll, eller åtminstone må ganska bra i kaoset. Att ge efter för paniken gör sällan mycket nytta. Då tappar vi kontrollen ännu mer och börjar tro att vår egen källa till lugn har torkat ut för gott. Kom ihåg din egen styrka och minns tillfällen då du har haft nytta av den. Det kommer att finnas stunder genom livet som du kan se tillbaka på och fira. De stunderna behöver inte definiera dem vi är, men de kan definitivt påminna oss om vad vi allihop är kapabla till.

DEN (STUNDTALS) SKAKIGA FÄRDEN TILLBAKA TILL LUGNET

För den skull behöver vi inte klistra på oss en ständigt tapper min för att dölja vad vi egentligen känner. Snarare tvärtom. Med denna inre styrka kan vi låta känslorna flöda naturligt medan de kommer och går, men med vetskapen att de inte är permanenta. Vi kan låta rädslan flöda genom våra ådror, vi kan låta ångesten skölja över våra klibbiga kroppar och vi kan ge ilskan ett ögonblick att spruta ur varje por. Jag har själv märkt att jag genom att kuva mina känslor bara håller dem tillbaka som en stor damm. Och så släpps de i stället fram vid ett senare tillfälle, som kanske inte heller är det mest lämpliga. Vi bör aldrig känna oss rädda att känna känslorna som bubblar upp eller tro att vi måste bekräfta deras betydelse. Vi har alla rätt att känna precis vad som känns passande – så länge vi inte håller fast vid de känslorna för glatta livet och gör dem till permanenta vänner. Vi måste alla uppleva de känslorna och uttrycka dem därefter, men vi får inte fastna. Slår man läger i ett ingenmansland blir det olidligt för alla inblandade. Det må framstå som en lugnare plats att befinna sig på, men det gör sannolikt varje förändring i framtiden lite svårare. Om vi känner oss stressade och långt borta från lugnet måste vi försöka hitta sätt att komma vidare. Det innebär inte att vi bör röra oss bort från eller undvika hinder i livet, utan helt enkelt att vi ska söka stöd, förändring eller en lösning. Ibland kanske vi blir tvungna att vara tråkiga och praktiska och överväga mer pragmatiska sätt att åstadkomma förändring. Det kanske inte alltid verkar finnas så många alternativ att välja på, men då är små justeringar lika betydelsefulla som stora språng. Jag är rätt övertygad om att alla antingen har haft destruktiva relationer själva eller känner någon annan som haft det – det är så lätt att bara stanna kvar i dem och känna att vi bara borde flyta runt i limbo tills vi blir absolut tvungna att göra förändringar eller fatta beslut. Det där ingenmanslandet är väl i alla fall enklare och lugnare än att göra stora förändringar? Nja, tyvärr är det inte det. Även om det ibland kan kännas jobbigt eller till och med fel måste förändringar ske för att få oss ur statiska lägen, så att vi kan fortsätta utvecklas och må bra. Det kan kännas hemskt och outhärdligt i början, men så småningom leder det till ett stabilt lugn som vi kan slappna av och sjunka in i. Vägen tillbaka till lugnet är inte alltid en lätt resa, men om vi ser till att förändra obehagliga eller psykiskt påfrestande omständigheter kan vi komma ett steg närmare.

Sammanfattning

SÖK STYRKA HOS BARNET I DIG.

När du blir nervös av det okända, minns då hur många »debuter« du har klarat av i livet. Du grejar det här!

SE FRAMÅT.

Låt inte det förflutna påverka nuet – eller framtiden. Lämna det där det hör hemma.

RÄKNA MED DET OVÄNTADE.

…och frossa i miraklen det kan medföra!

HUR SER EN LUGN FRAMTID UT FÖR DIG?

Skriv ner ett ord eller rita en bild här som sammanfattar det.

LUGNET
& OMVÄRLDEN

Världen känns mer hektisk, snabbare och definitivt stressigare än någonsin. Är den verkligen det, eller är det bara vad vi ser eftersom vi så enkelt kan ta del av andras liv när som helst numera? En dygnet-runt-vision av inte bara vårt eget kaos som stirrar tillbaka på oss, utan även alla andras! Denna ständiga nedladdning av information om andra familjemedlemmar, samhällen och hörn av planeten får oss att känna att allt är så väldigt febrilt. Jämt och ständigt tar vi till oss, har åsikter om, jämför och försöker få rätsida på så mycket information. I stället för att bara se på livet med våra egna ögon ser vi på det genom våra telefoner, datorer och TV-apparater, och informations-överflödet är därmed konstant.

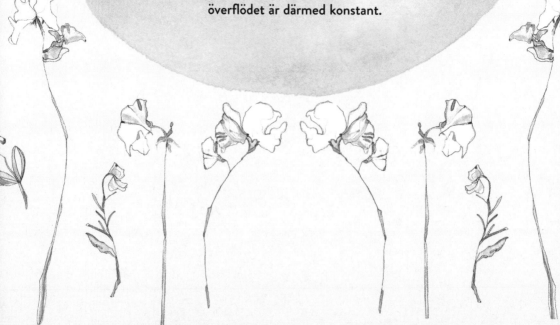

SE OSS OMKRING

Förutom denna dagliga överstimulering bombarderas vi också med alternativ. Detta är någonting helt nytt för människosläktet och kanske når den utvecklingen sin kulmen just nu. Det finns hundratals TV-kanaler, sociala medier, butiker, människor, maträtter, appar, sätt att resa och sätt att dejta och ett myller av olika jobb att syssla med, så inte undra på att vi tycks vara mer förvirrade än någonsin. Med så många valmöjligheter försöker vi göra lite allt möjligt i stället för att koncentrera oss på färre saker efter bästa förmåga. Vi är till större delen en kultur bestående av överstimulerade, förvirrade små orosmoln. Ångesten finns överallt, jämsides med alternativen, och det är svårt att inte känna av den när så mycket aktivitet och information susar in och ut ur våra liv. Det känns som om våra huvuden är de allra mest hektiska, ännu mer myllrande än omvärlden.

Vissa morgnar drar jag undan gardinerna och grips av entusiasm och en känsla av oändliga möjligheter. Det känns som om det finns en värld av äventyr att utforska: nya människor att träffa, nya platser att besöka och nya lärdomar att dra. Jag får en begynnande undermedveten insikt om att jag är en del av denna världsomspännande energi. En liten kugge med en roll i det hela. Då får jag perspektiv på det och förstår hur liten jag egentligen är. Jag är pytteliten men ändå viktig i den enorma, ständiga rörelse som sker över hela planeten. Min värld och all dramatik, spänning och oro som finns där är bara en liten prick i denna invecklade bild som utgör den snurrande boll i rymden som vår planet består av. Jag sjunker ner i denna harmoni och lugnet sköljer över min dag och allt som står i min väg. Jag är säker på att vi alla har upplevt den här härliga känslan ibland och att magin i den stora vida världen kan ge oss möjligheter och låter oss drömma och skapa.

Andra dagar gör den där morgonvisionen av alla andra som sysslar med sitt att jag påminns om det totala kaoset på vår planet och får panik över min egen plats i det hela. Dessa tyngre dagar är det som om jag kan känna smärtan i allt lidande på jorden. Jag blir akut medveten om alla umbäranden och orättvisor som flödar från världens alla hörn och slås av den omöjliga uppgiften att göra allt bra, eller att åtminstone göra allt någorlunda förståeligt. När alla rör sig så snabbt och konsumerar så mycket som i vår tid glömmer vi ofta bort hur mycket information vi tar in varenda sekund på dagen. Det handlar inte bara om promenaden till jobbet eller skolan på morgonen, utan om anstormningen av information som flödar ur det skarpa ljuset från våra mobiler och varenda bild som hoppar ut från tidningsomslagen i butikerna vi går förbi. Det handlar om vartenda litet skvallrande ord och varje SMS och mejl som vi glufsar i oss. Det kanske känns normalt för oss, men vi är en av de första generationerna som upplever denna nivå och koncentration av brus och information. Bilderna, nyheterna och idéerna är i dag snabbare än någonsin, mer överdrivna och känns nästan som ett »måste« om vi ska hänga med i livet vi lever.

SLÄPP TELEFONEN

En gradvis förändring har ägt rum i många delar av världen de senaste tio åren eller så. Under de åren har våra tummar blivit smidigare, våra nackar börjat sloka och våra ögon försetts med skygglappar. MOBIL-TELEFONER. I västvärlden gör vi oss skyldiga nästan allihop, men är det någon som bryr sig tillräckligt för att göra något åt saken? Märker vi ens hur vi rubbar vårt inre lugn genom denna oavbrutna aktivitet? I vår tidsålder är det så gott som omöjligt att leva utan mobiltelefonen, men i hur hög utsträckning låter vi den styra oss och hur medvetna är vi om vårt beroende av den? Jag är lika skyldig som någon annan i den här frågan. Frestelsen att kolla mejlen medan jag är ute och rör på mig eller rulla igenom Instagram medan jag skjuter upp saker jag borde göra är nästan omöjlig att motstå. Det är ett sådant självklart inslag i min dag att jag ibland sitter med telefonen utan att tänka på det eller bekymra mig det minsta. Hur mycket missar jag av vad som pågår omkring mig genom denna distraktionstaktik? Antagligen rätt mycket. I tonåren tog jag väldigt ofta tåget till London. Det var innan det var särskilt vanligt med mobiltelefoner och definitivt före sociala medier och appar. Min telefon låg tryggt nedstoppad i ryggsäcken, för den skulle jag behöva enbart om jag behövde ringa någon eller se efter hur mycket klockan var. Men om jag sitter på tåget eller bara går längs gatan i dag är 80 procent av alla jag ser helt omedvetna om vad som pågår omkring dem, eftersom de hänger med huvudena över skärmarna på sina telefoner. OCH jag är ofta en av dem. Jag försöker verkligen göra mig av med den ovanan, för jag vet att jag kanske missar en fridfull vy eller bara det mentala andrum som behövs för nya idéer och tankar. Sociala medier och internet är självklart fantastiska hjälpmedel för att hålla kontakten med vänner på andra sidan jordklotet och även för att hänga med i nyheter och information som annars skulle gå oss förbi, men medan vi gör det offrar vi samtidigt det enkla och lugna i livet. Vi har bytt observationerna av vår omgivning och människorna i den mot saker som är fjärran och avlägsna. Om vi tänker efter är det ett rätt märkligt byte. Ju mer tid vi ägnar åt telefonerna, desto större behov känner vi att stå vid sidan av allt som pågår omkring oss. Behovet att tillgodose den här vanan växer ju mer vi gör det, och vi blir rastlösa om vi inte gör det. Det är som med vilken annan vana som helst: vi glömmer den negativa inverkan den får och agerar på det omedelbara begäret.

Så om vi återgår till när jag var arton, satt på tåget till London och hade glömt min bok. Kanske satt jag då och tittade på folk, lät tankarna vandra och fantiserade ihop historier om andra människor i vagnen. Kanske fångade jag någons blick och log. Eller fick syn på ett intressant hus genom fönstret. Jag är ganska säker på att många fler träffade nya människor, inledde samtal, kanske till och med flirtade lite när de var ute på stan på den tiden, för då lade vi faktiskt märke till människorna omkring oss. Mobiltelefonerna hindrar oss från kontakt med omvärlden på ett sätt som verkade naturligt och normalt för femton år sedan. Men jag försöker anstränga mig att öppna ögonen och alla andra sinnen för vad som händer runt mig åtminstone en gång om dagen. Det känns mycket mer lugnande och avkopplande än att vara slav under telefonen och alla appar. Kanske ska du också testa det? Kanske på vägen till jobbet eller när du tar en promenad senare på dagen – lägg telefonen i fickan och se dig omkring ordentligt. Kanske kommer du att le mot någon, kanske erbjuder du dig att hjälpa någon som kämpar med att få upp en barnvagn för trappan, kanske får du syn på ett vackert träd. Öppna dina sinnen och var närvarande i din verkliga omgivning. Ju oftare vi gör så, desto mer inre lugn kommer vi att kunna få tillgång till. Jag tänker i alla fall ge det en ärlig chans!

ATT HANTERA MEDIEANSTORMNINGEN

Det kan kännas som om det inte går att värja sig mot detta våldsamma anfall av stimulering, för vi har börjat tro att det är det normala sättet att leva. Det finns inget filter eller botemedel mot invasionen av uppgifter som vi försöker pressa in i våra överfulla hjärnor. Det finns visserligen förslag på vad vi kan göra för att få ett mer holistiskt förhållningssätt om vi bara är öppna för det, men sådana metoder för att avgifta hjärnan ses nog fortfarande som en lyx eller ett lite annorlunda val snarare än någon egentlig nödvändighet.

Detta är något jag har insett gradvis samtidigt som jag lagt märke till att mina egna instinkter och val ibland har gått emot strömmen. Förr kunde jag sträckkolla på vilken TV-serie som helst, jag kunde se TV-program med obehagligt innehåll, se en del våld på film och störde mig inte på den högoktaniga action som handlingen fylldes med. Men under de senaste åren, då jag börjat gräva djupare och utforska olika områden av självhjälp, har jag insett att jag inte kan fortsätta med sådana vanor. Nu kan jag enbart se antingen verklighetsbaserade program med historier som jag kan lära mig något av eller rena må-bra-filmer, vare sig det är komedier eller dramer. Allt annat gör mig bara nervös och lätt utmattad. Jag vet att det kanske låter pompöst, men jag tror att jag genom att skaffa mig större kunskap om hur jag fungerar har fått större behov att koppla av på fritiden i stället för att lägga till onödig stress – även om det bara handlar om stress på TV-skärmen.

Numera gör jag mer medvetna val angående det jag fyller hjärnan med.

Efter att ha varit med om en del oönskade, dramatiska skeden i livet förstår jag hur starkt man kan känna att man tappar kontrollen, och det har fått mig att ägna mer uppmärksamhet åt hur jag konsumerar informationen omkring mig och hur mycket jag väljer att ladda ner mentalt. Mitt beslut börjar alltid med frågan: »Kommer detta att leda mig till lugn?« Vi kan inte strunta i vad som händer omkring oss hemma, i närområdet eller i världen, men vi har faktisk ett val när det gäller hur mycket vi ska ta in, särskilt när det gäller fiktiva saker.

Vi bombarderas ständigt med nyheter. Det är svårt att undvika det, för våra telefoner, TV- och radioapparater och tidningarna skriker ut världens senaste tragedier och bedrövelser till oss. Även om det inte går att leva i en bubbla där vi inte har en aning om vad som pågår i världen utanför oss, så tror jag faktiskt att vi behöver vara mer känsliga för hur och när vi tar till oss denna information. Kanske känner ni er upplysta och trygga genom att läsa morgontidningen som start på dagen. Om så är fallet, fortsätt med det. Men kanske har några av er svårt att smälta ytterligare negativa känslor, eftersom ni känner att ni har tillräckligt av den varan i era egna liv. Jag pendlar mellan dessa båda ytterligheter – ibland när jag läser om tragedier och katastrofer fyller historierna mig med empati. Jag kan känna att jag får kraft av en artikel jag har läst och längtar efter att hjälpa andra människor. Under jobbigare dagar kan jag däremot känna att jag inte orkar med mer elände. Jag har ingenting att ge eftersom jag inte har rett ut min egen hög av problem, så jag väntar med de artiklarna tills jag känner att jag kan reagera lugnare och möjligen mer konstruktivt. Vissa dagar när jag är särskilt nere sätter jag inte på nyheterna på kvällen, för den ständiga strömmen av sorg och bedrövelse som kastas ut från TV-skärmarna känns för jobbig att hantera innan jag går och lägger mig.

I stället väljer jag att kolla igenom webbsidorna nästa morgon, när jag vet att jag kan hantera världens nyheter på ett mer behärskat sätt.

Det finns inga rätt eller fel – jag tror att man bara behöver känna till sina egna personliga gränser och förväntningar. Att ta till sig varenda liten bit information och negativitet gör dig inte till en bättre människa, vilket somliga tycks tro. Det viktigaste är hur mycket medlidande du känner för dem du läser om eller hur aktiv du är i förhållande till ämnen som tänder en gnista i dig. Att alltid veta allt gör inte världen till en bättre plats och lyfter inte din intellektuella status så att du överglänser andra. Om du glatt kan ta till dig massor av yttre dramatik och stress utan nämnvärd effekt på ditt liv, så kör på bara, men om du vet att det kräver sin tribut har du all rätt att söka upp nyheter som får dig att må bra i stället. Lika väl som jag känner djupt medlidande med alla som lider i världen och dessutom gör en del mycket uppskattat välgörenhetsarbete för människor jag känner att jag kan hjälpa, så behöver jag personligen finna den där balansen mellan negativt och positivt i världen. Om jag känner att jag har fått i mig lika mycket av bägge delar känner jag mig lugnare och mer balanserad och kommer förhoppningsvis att vara till mer nytta på alla sätt jag kan.

Att sugas in i den storm av negativa känslor som ständigt kretsar kring oss är bara meningsfullt om du vill förändra något – kanske göra en liten personlig förändring som du tror kan sprida sig som ringar på vattnet eller, om möjligt, få stora sociala förändringar till stånd som du tror på. Jag tror sällan att skrik och gnäll hjälper, för det väcker bara mer ilska. Om du tror att enbart hemska saker pågår på planeten jorden, då är detta det enda du kommer att få se. Jag tror att ont och gott förekommer i lika delar, och det är bara synd att de negativa berättelserna får bättre fäste. Det är sällan man får läsa upplyftande eller upplysande historier, så att balansera den här informationen med saker som får dig att må bra är viktigt för att du ska komma ihåg att hopp och positiva tankar också har sin plats på jorden.

Somliga tror att ondskan är på uppgång och att allt fler människor hyser själviska och farliga tankar, eftersom vi ständigt matas med bilder och får höra berättelser fyllda av orättvisor och lidande. Även om det är sant att detta kaos existerar och vid vissa tillfällen kan vara väldigt extremt bör vi komma ihåg att det måste finnas en 50/50-balans för att det ska stämma överens med naturen och hur saker och ting har fungerat i alla tider. Jag tror att det bara handlar om att vi får höra mycket mer om det negativa nu för tiden och har tillgång till det dygnet runt. Konflikter, krig och dispyter har alltid funnits och kommer förmodligen alltid att finnas – vi har bara många fler kanaler numera att ta emot nyheter om det dagliga eländet.

Att vi tar till oss det som beskrivs i medierna är nästan en självklarhet i vår tidsålder. Det är så gott som omöjligt att ignorera det, men vi har trots allt viss **kontroll** över hur mycket vi konsumerar. Skriv på vänstra sidan av tidningen ner alla nyheter, allt skvaller och alla händelser på sociala medier som du tror att du laddar ner mentalt varje dag, kolla sedan om du skulle kunna väga upp det med något av förslagen på högra sidan.

GODA NYHETER

Läs en rolig bok

Skicka ett brev till en vän.

Åh, vad jag älskar snigelpost

LYSSNA PÅ MUSIK SOM GER DIG ENERGI

Läs in dig på ett ämne på nätet som intresserar dig

Titta på gamla foton
som får dig att må **underbart**

LADDA NER EN INTRESSANT PODCAST

VÄGRA NEGATIVA KÄNSLOR

Förändrar de här negativa känslorna hur vi pratar med andra omkring oss, gör det oss rädda så att vi hämmas i livet eller förvärrar det bara ilskan från en tidigare personlig situation? Ibland tror jag att vi inte ens förstår hur mycket det bidrar till vår personliga börda förrän vi tar reda på hur mycket vi faktiskt konsumerar digitalt och globalt varje dag. Om överkonsumtion får dig att förlora lugnet, kolla hur mycket du ser på varje dag och hur du väljer att ta in av vad som pågår omkring dig.

Det är samma sak med skvallret utifrån, vare sig det sker i tidningarna eller dina egna kretsar. Hur mycket påverkas du innerst inne av negativa diskussioner? Hur många osmakliga samtal kan du smälta och hur mycket lever kvar hos dig fysiskt? Jag vet att om jag låter mig dras med i negativt skitsnack, oavsett om det handlar om någon jag känner eller inte, så mår jag fysiskt illa och känner mig lite smutsig. Hur frestande det än kan vara att snacka skit kan det aldrig riktigt fylla hålet som den egna känslan av brist har lämnat. Att ha åsikter om andra och om hur de lever sina liv mildrar inte de egna problemen. När de där tomma diskussionerna är över känner vi oss utan undantag sämre än innan.

Har du vänner som bara snackar skit om andra? Kompisar vars vardagliga jargong färgas av ett bitskt begär att utvärdera och håna andra? Om de vännernas ord har en tendens att fastna på dig och det drar dig långt bort från ditt lugn, så kanske det är dags för en förändring. Finns det någon möjlighet att du skulle kunna ändra deras inställning? Kan du föreslå hur de skulle kunna se saker från en annan synvinkel eller sluta prata om andra ett tag? Om negativa samtal ger dig känslan av att du behöver ta en lång dusch, skaka då av dig de där orden du inte vill höra och bryt dig ur den negativa spiralen av skvaller och skitsnack.

HUR VI SER PÅ ANDRA

Sättet vi pratar skit på nätet har också börjat uppfattas som »normen«. Vi har blivit alldeles för vana vid att se kvinnor spelas ut mot varandra och förses med etiketter och beskrivningar som bara säger en pytteliten del om deras historia. Det är inget chockerande för oss att se nyheter om hur kvinnor gått ner i vikt och »modemissar« som lyser från tidningarna. På framsidorna ser vi ständigt kvinnor hyllas av fel orsaker och kritiseras för absurt triviala ting. Det tar i alla fall mig långt bort från mitt lugna tillstånd. Visst, kvinnor kan få gå ner i vikt om de vill. De får också pryda sig med sagolika kreationer och göra vad de vill med sina sminkningar och frisyrer, men det är för den skull inte det enda som är värt att diskutera. Jag gillar också att titta på kvinnors mode- och stilval, men det borde absolut inte användas som måttstock för kvinnors värde och ställning i världen. Hur ska vi som samhälle kunna konsumera den här sortens information om andra och trivas med oss själva efteråt? Om det är så självklart acceptabelt att dra drastiska slutsatser om kvinnor som vi egentligen inte känner, hur ska då unga kvinnor kunna uppskatta sig själva och sina egenheter? Jag tror att sättet som kvinnor målas upp i medierna och på nätet kan vara väldigt skadligt för oss allihop, men särskilt för den yngre generationen, som måste försöka finna sin väg i de jobbiga tonåren med ännu mer intensiv självmedvetenhet. Det har hänt några gånger att jag själv har blivit föremål för den här sortens objektifieringar. Strax efter att jag hade fött Honey blev jag fotograferad i bikini på semester med familjen. Där stod jag och frontade min postnatala degmage och mina mjölkstinna tuttar som desperat försökte smita ut ur bikiniöverdelen. Tidningarna publicerade bilderna så att alla kunde se dem och lade till några besynnerliga rader om hur befriande det var att se en mamma som var ur form. För det första, vad hade ni väntat er?

255

Bara tre månader tidigare hade jag krystat ut en bebis på nästan fyra kilo mellan benen, och denna förtjusande lilla bebis hölls nu vid liv med enbart mjölk! För det andra, varför skulle det vara befriande? Varför kan vi inte alla bara få ha den form och storlek vi vill utan att ständigt utsättas för andras bedömningar och jämförelser? Om någon just har fått barn, kan ni inte bara nöja er med det? Om någon älskar att träna varje dag och har magmuskler av stål, ja, skriv om det då. Det känns absurt för oss alla att vi måste ha ständiga markörer för var vi passar in i alltsammans på ett så påtagligt estetiskt sätt.

När jag var tonåring fanns inte det här problemet för mig, för jag hade en telefon som var stor som en tegelsten och bara gick att använda till att ringa folk med. Ingen hade kommit på det där med sociala medier ännu och tidningarna var inte riktigt så utpräglade till sitt innehåll som nu. Jag kunde rulla vidare genom tonåren, snubbla över farthinder som att bli dumpad av killar och få mens och finnar utan större press. Jag fick visserligen total panik ändå vid varje ny lärdom, men jag hade ingen aning om vad folk i allmänhet hade för åsikter om situationer som unga kvinnor ställs inför. Jag hade inget att jämföra med förutom det som min vän Becky hade viskat till mig om sin storasyster. Det var så vi fick ny information och betraktade andra tjejer – genom små fragment av råd och nyheter som möjligen sipprade in från en väns äldre syskon. Det hela var ganska harmlöst och, när jag ser tillbaka, rätt hysteriskt. Jag ryser när jag tänker på hur jag skulle ha hanterat att leva ett dubbelliv på sociala medier i den åldern. Det är knappt att jag grejar det som 36-åring.

Numera verkar det finnas fasta, oskrivna regler för hur kvinnor bör vara om de inte vill slitas i stycken av andra. Även om vi inte bokstavligen tillägnar oss reglerna snappar vi upp en del av dem allihop. Om vi vägrar att titta på sociala medier eller inte ställer upp på tidningarnas framställningar av kvinnliga former, så blir vi ändå medvetna om bilderna av det som anses vara extrem perfektion. Vi ser

Skvaller och skitsnack kan vara frestande och ibland **nästan omöjligt** att undvika. Vi får en sådan omedelbar och stark kick av skvallret, samtidigt som vi tappar lugnet och glömmer motsatsen till kicken som omedelbart väntar på andra sidan. Skriv här vem du ofta brukar skvallra om och notera hur du **verkligen mår** av det. Känns det lite som en sockerkick till att börja med, men så kraschlandar du på andra sidan? Eller känner du att du skulle behöva ett långt varmt bad när gnället är över? Markera i diagrammet vart skvallret för dig.

Jag skvallrar om . . . .

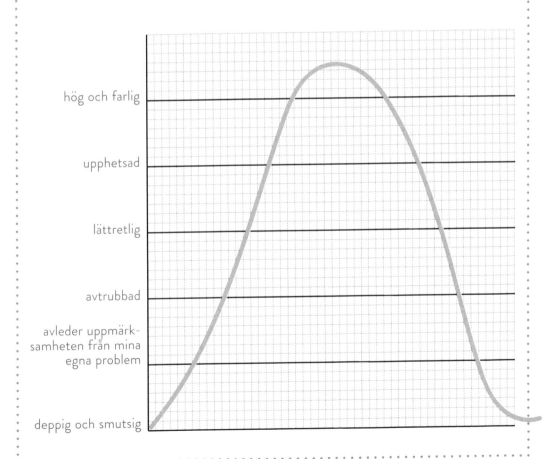

- hög och farlig
- upphetsad
- lättretlig
- avtrubbad
- avleder uppmärk- samheten från mina egna problem
- deppig och smutsig

dem dessutom så regelbundet att vi glömmer att de är extremfall och inte alls vanliga eller något som folk över huvud taget känner igen sig i. Det finns knappast någonting annat som mer effektivt kan ta död på självförtroendet, och det kan vara rätt psykiskt påfrestande för alla oss kvinnor.

Jag är ganska säker på att vi alla någon gång har stirrat oss blinda på en egen kroppsdel som vi avskyr. Jag då? Jag har flera stycken. Till att börja med har jag en stor panna (som jag täcker med hår som ramar in ansiktet – du kommer ALDRIG att få se mig med bakåtkammat hår) och är bredaxlad. Varifrån har jag då fått att det är något »fel« på de kroppsdelarna? Ingen annan person har någonsin nämnt något om de komplexen för mig, men eftersom jag går ut på sociala medier, eftersom jag tittar i tidningar, vet jag att de »idealiska« kvinnorna inte har något av dessa attribut. Jag är inte heller särskilt förtjust i min näsa, som känns för spetsig och framträdande i mitt ansikte. Jag har inte sett många av kvinnligt kön i tidningar eller i Disneyfilmer med någonting annat än söta små runda näsor, så min verkar lite… tja, »fel«. Jag avskyr att använda det ordet, för jag vill verkligen lyfta upp alla tänkbara personliga egenheter och hylla allt som gör oss unika, men skulle jag säga att jag inte tänkte negativa tankar om de här sakerna ibland skulle jag ljuga. Men för det mesta är jag tacksam. I min ålder kan jag se saker för vad de är, göra mig av med de reflexmässiga jämförelserna och vara tacksam för mina små egenheter. Faktum är att om jag har en bra dag så trivs jag till och med med min karaktärsfasta näsa och tallrikspanna.

Sådana här tankar rörs dock bara upp av jämförelser, för det är den mallen vi alla verkar följa nu för tiden. Jämförelse och förtvivlan. Jag är väldigt tacksam för att jag har en fungerande och sund kropp, så inget av de där irritationsmomenten gör så värst mycket skada för mig – min näsa är rätt bra på att hålla mig vid liv, med sina syreinhalerande näsborrar, och de breda axlarna kommer väl till pass när jag utövar min älskade yoga, så det finns många positiva saker som överväger de negativa. Men jag försöker vara så ärlig jag kan för att visa hur vi allihop påverkas av vad vi ser dagligen. Jag är också rätt säker på att alla någon gång har fällt svepande kommentarer om en kändis i en tidning och sagt något nedsättande om den personens kläder eller hår. Jag har definitivt gjort det och det känns aldrig bra. Vem bryr sig om vad jag tycker eller har att säga om den kändisen? Just då mådde den personen jättebra i sina kläder, och han eller hon har dessutom levt ett långt och omfattande liv utöver det där lilla fotot.

Jag känner mig så långt bort från lugnet när jag tänker på detta påtagliga problem som kvinnor måste bemöta, men jag vet att det enda jag kan göra är att skynda mig tillbaka till min lugna plats och försöka minnas alla härliga övertygelser jag personligen har om kvinnor. Om vi kan se bortom fixe-ringen vid det estetiska och de generaliserande begränsningar som kvinnor bombarderas med, så kan vi fira och uppmärksamma massor av inspirerande, grymma, omvälvande kvaliteter som vi alla besitter. Det spelar ingen roll om vi känner oss annorlunda än det vi ser i vår omvärld, och det borde verkligen inte ha någon betydelse för åsikterna vi har om andra kvinnor. Vi kan göra vår grej på vårt eget sätt och se på andra kvinnor med medkänsla, empati och öppet hjärta. Alla känner vi oss osäkra, sårbara och rädda då och då – några undantag finns inte. Vi kan ändå frossa i livsstilsmagasin, köpa alla ljuvliga kreationer vi får tag i, ha så mycket eller lite smink vi vill, vara så yppiga och vackra eller späda och delikata som vi är av naturen eller väljer att vara. Ingenting av detta har någon betydelse för någon annan och de besluten bör inte heller vara åtkomliga för kritik. Vet vi bara om det kan vi sluka hur mycket skräp som helst på nätet och i tidningarna som vi önskar, men från en mer förnuftig, balanserad och lugn utgångspunkt.

Vi kan också inspireras av de här källorna, vilket är det fina i kråksången! Vi kan se någon som har lyckats nå sina mål och välja att lugnt och fint låta oss inspireras i stället för att bli avundsjuka. Vi kan se på ett annat liv och tänka att den personen verkar lycklig, sedan lugnt sträva efter att själva känna den lyckan på vårt eget sätt. Så länge vi alla minns att mycket av det vi ser har färgats av fantasier och antaganden kan vi lugnt ta till oss det vi ser och känna oss inspirerade i stället för bristfälliga.

FÖRSONA DIG MED DEN DU ÄR

Om du känner att andra har förutfattade meningar om dig och det medför oförtjänt mycket stress, kom då bara ihåg en sak: när andra dömer dig öppet säger det mer om DEM än om dig. Denna vetskap kommer alltid att kunna ta dig tillbaka till lugnet, för om du inser att andras åsikter enbart har sin grund i DEM och vad DE saknar i sitt liv, så kan du fortsätta som du alltid har gjort.

Vi måste inte heller passa in, vara likadana som alla andra eller rätta oss efter de villkor som satts av sociala medier. Vi behöver bara känna oss lugna i att göra saker på vårt eget sätt, för lugn leder till självförtroende. Det låter oss bära våra egna färger med ett djärvt leende på läpparna. Det ger oss förmågan att njuta av att känna oss annorlunda. Men att vara annorlunda på något sätt kan ändå leda till akut panik, eftersom det kan få oss att känna oss utanför och ensamma. Ordet »annorlunda« borde inte ens kunna användas i det sammanhanget, för det är väl uppenbart att vi allihop skiljer oss åt på alla sätt och vis. Det är väl det som är det magiska med att vara människa? Var och en av oss har ett unikt utseende, unika tankegångar,

Vi känner alla att andra människor har förutfattade meningar om oss, men väldigt ofta kommer den uppfattningen faktiskt bara **från oss själva**. Andra kanske sätter fingret på våra svagheter, men egentligen är det vi som ger oss själva kritik. Ge dig själv nu en **klapp på axeln**: skriv ner allting du har gjort som du är stolt över, hur litet det än har varit.

unika livserfarenheter och unika sätt att se saker och ting. Vi kan finna trygghet i ett samhälle eller en grupp, men egentligen är vi alla väldigt olika varandra – magiska vänskaper och unioner skapas baserat på kontakt, inte på likhet. Det finns inget »samma«.

En illusion har skapats genom åren om vad som krävs för att vara en man eller en kvinna, men det är bara en enkelspårig idé utan verklighetsförankring. Det finns ingenting att rätta sig efter, för det finns ingen egentlig mall till exempel för hur en kvinna ska vara. Var DIG SJÄLV och tänk fritt kring detta. Gör dig av med stressen över att försöka vara den kvinna du tror att du borde vara och känn dig lugn i att vara den kvinna du ÄR. Var en särling, var en anomali, gå emot strömmen och må bra av det.

Ibland kan jag göra det med lätthet och övertygelse och älska varenda sekund av att gå min egen väg. Andra gånger känns det som om jag går på smältande is fast vattnet under mig har minusgrader. Att komma tillbaka till lugnet och inse att det är okej att göra som man vill kan ta tid, men det är möjligt. Du behöver inte utestänga vad resten av världen sysslar med – du kan ta det till dig, men sedan fortsätta framåt och inse att din väg är precis lika rätt som någon annans. För detta krävs mod, ett öppet hjärta och definitivt en rejäl portion lugn.

FÖR MYCKET »DELANDE«

Medaljens baksida när det gäller »hur mycket vi tar in« är hur mycket vi »delar«. Vi tycks vara generationen som delar med oss för mycket, eftersom vi har vant oss vid att låta världen se oss från många olika vinklar. Jämfört med för två decennier sedan verkar det i alla fall stämma väldigt bra. När jag växte upp tog jag kanske med mig två engångskameror eller möjligen en billig digitalkamera på semestern och tog upp till femtio bilder på en resa. Det kändes tillräckligt för att kunna göra bra återblickar när jag kom hem. Nu för tiden tar vi nog halva det antalet bilder på en dag även om vi bara är hemma. Vi har våra mobiler ständigt fastlimmade i handen och knäpper bilder när som helst, vare sig det finns någon magi i dem eller inte. Förr tog jag min kamera till huvudgatan i området där jag bodde för att framkalla de där femtio bilderna och visa dem för min bästa kompis, som inte verkade störa sig på den fantastiska solnedgång jag bevittnat den andra kvällen på semestern. (Är inte andra människors semesterbilder det absolut tråkigaste som finns?!) Nu för tiden lägger vi upp hur många sådana bilder som helst på Instagram, Twitter eller Facebook så att våra vänner kan rulla igenom och kommentera om de har lust. I dag känns det nästan konstigt om vi inte vet var på jorden någon vän till oss befinner sig, för alla är alltid kontaktbara och med största sannolikhet också synliga. Jag minns när jag var femton och råkade stöta på en av mina bästa kompisar på Mallorca, eftersom varken hon eller jag hade en aning om att vi skulle åka dit på semester med familjen samma vecka. I dag skulle något sådant aldrig kunna hända, för nu vet vi alltid var alla är.

Detta överdrivna delande och att vi vet allt om alla har blivit normen, men det kan också skapa kaos i våra liv och få oss att tappa lugnet. Jag känner definitivt att jag måste svara genast på mejl eller SMS, för annars kommer folk tro att det har hänt något. Den pressen är inte lugnande på något som helst vis. Förra veckan stängde jag av telefonen en dag, varpå många av mina vänner undrade varför i helvete jag inte svarade på deras meddelanden – för femton år sedan kunde det hända att en nära vän inte hörde av sig på två veckor, eftersom man skulle behöva ha tillgång till en te-

263

Vilka ögonblick i livet har känts fullkomligt magiska och fulla av kärlek?

lefonautomat eller passa på när familjens telefon var ledig, men det förstörde inga vänskapsrelationer eller hämmade flödet i diskussionerna på något sätt. Så varför är vi så rädda för att man inte ska kunna nå oss? Kanske är vi rädda för att missa något bra och tvingas se det på Facebook i efterhand? Kanske känner vi att vi missar det senaste och vad som sker omkring oss och halkar efter? Kanske känner vi att om vi inte berättar vad som händer på nätet så blir vi impopulära eller mindre eftertraktade som vänner? Självklart är inget av detta sant, men snabbheten i dagens kommunikation och möjligheten att nå varandra ger oss illusionen att det är så.

Självklart är det fantastiskt att snabbt kunna googla information och att kunna prata på FaceTime med en vän som bor hundratals mil bort, så visst finns det några små ljuspunkter i vårt jäktiga sätt att leva. Men vi måste komma ihåg att det inte är det enda sättet och att det inte hela tiden är livsnödvändigt. Ger vi oss själva pauser från det och minns att många generationer före oss klarade sig alldeles utmärkt utan denna ständiga kommunikation, så kan vi göra oss av med lite av stressen och bara njuta av de praktiska/roliga bitarna. Jag står inte ut med uttrycket »tar du ingen bild har det inte hänt«. Inte nog med att det har en retsam klang som påminner om ramsor från skoltiden, utan det säger också väldigt mycket om hur vi ser på livet. Privata, gyllene, magiska stunder verkar inte kunna andas eller existera om de inte delas med hundratals andra. Det kan inte stämma, och jag ska tala om varför.

Blunda och tänk på ett ögonblick då du kände att tiden stannade. Ett ögonblick då du kände dig 100 procent levande och fri och visste att det ögonblicket verkligen betydde något. Ett ögonblick som det fanns en magi och värme i som nu inte går att begripa. Jag har varit med om en handfull sådana stunder som jag kan dra fram ur minnesbanken när jag vill och det är jag evigt tacksam för. När jag höll mina båda barn med darrande armar några sekunder efter att de kommit till världen. När jag satt vid poolkanten i Mexiko och drack öl medan fåglarna kvittrade ovanför mig och huden kändes varm efter en dag i solen. När jag gick i väg från en bar i Ibiza och visste att jag hade träffat en väldigt speciell person (som jag nu har gift mig med). De här stunderna är starkt sammankopplade med min historia och har ett lysande skimmer omkring sig i mina tankar. Inget av ögonblicken »delades« med något foto. Ingen annan såg dem, kände dem eller visste något om dem. Det är bara jag som kan få tillgång till dem när jag behöver det. Jag kan komma åt vilken som helst av dessa drömlika scener när jag känner mig nere och inse att det finns mer magi i världen som bara väntar på att fångas in.

Att dela saker på nätet är jättekul och kan vara intressant och inspirerande, men vi får inte glömma att ta vara på livet utan våra mobiltelefoner i handen, så att vi kan insupa de ögonblicken till fullo och uppleva dem som de är. Det är de tillfällena som ger lugn och tar dig tillbaka till det du vet att du älskar och tror på.

HITTA UT UR BRUSET

Så hur ska vi göra för att utestänga allt det här bruset omkring oss? Vi kan inte göra det helt och hållet och de flesta av oss vill inte heller det. Det handlar mer om kvalitetskontroll och vår uppfattning om vad som pågår omkring oss. Det är så vi kan återfå någon form av lugn i kaotiska stunder. Jag tror att första steget är att vi kommer fram till vad som får oss att må bra, känna oss inspirerade (även om det kanske låter lite övertänt) och öppna, snarare än tomma, rädda och arga. När du väl sätter dig ner och tittar på de här dagliga glädjeämnena kan du börja bevaka hur du tar in informationen. Förr bläddrade jag exempelvis alltid igenom Instagram innan jag gick och lade mig. Då visste jag vad alla mina vänner höll på med, vad Kate Perry hade ätit till lunch och vilka skor jag verkligen trånade efter för tillfället. Ingenting i den informationen främjade nattsömnen och gjorde mig dessutom lite nervös. Jag kände hur musklerna spändes, hjulen började surra i hjärnan och så rullade hela cykeln av jämförelser och förtvivlan i gång.

Detta fortsatte sedan ända tills jag somnade till en trasig och skakig nattsömn. Till slut insåg jag detta, antagligen efter alldeles för lång tid, och bestämde mig för att denna konstiga ritual före sömnen måste bort. Att läsa en god bok i badet funkar mycket bättre för mig nu för tiden. Kanske slukar du alldeles för mycket information på nätet som totalt saboterar ditt inre lugn? Kanske tittar du på nyheterna innan du går och lägger dig, så att hjärnan blir helt slut och får ilskan du bär inom dig att bryta ut? Eller kanske surfar du runt på webbsidor och låter det skarpa ljuset infiltrera dina sömniga ögon. Om något av detta känns bekant, ändra på det.

Hur vi uppfattar den ständigt pågående cirkus som omger oss är också relevant för att känna lugn. Om vi bara ser det negativa och inte har tid med det positiva kommer vi sannolikt att attrahera ännu mer av samma vara. Om vi bara ser bristerna hos andra kommer vi aldrig att se det goda i oss själva. Om vi tror att gräset alltid är grönare på andra sidan kommer vi aldrig att vara nöjda med var vi är eller hamnar. Vi måste alla betrakta denna ständiga information från en lugn punkt inom oss och inse att vi kan ta det med oss om vi så önskar, sedan agera med ett medkännande hjärta och öppet sinne. Du kan vara proaktiv, harmonisk, ointresserad, engagerad, medkännande, likgiltig, kärleksfull eller inspirerad. Valet är ditt. Det finns många olika alternativ att se världen. Det är inte nödvändigtvis enkelt eller självklart för oss, men allihop kan vi faktiskt försöka justera våra beteenden. Vi kanske inte kan ignorera det ständiga bruset från världen utanför, men vi kan definitivt höra många olika toner om vi bara lyssnar ordentligt.

267

HEJ TILL... RUSSELL

Russell Brand behöver knappast någon närmare presentation, för alla känner väl till hans otroliga kvicktänkthet, hans rymliga ordförråd, självspäkande tendenser och ymniga lockar. Han har figurerat i TV och radio i snart två decennier och rönt enorma framgångar, vilket i hans bransch naturligtvis också medför kändisskap. Jag har kommit i kontakt med Russell då och då genom åren och har alltid fascinerats av att han har hållit huvudet så kallt medan han varit föremål för ständiga åsikter och antaganden från utomstående. När jag satt i publiken på hans standup-föreställning 2010 beundrade jag hur han vände vissa lågvattenmärken i karriären till lysande självironisk humor. Han har en märkvärdig förmåga att skämta om sig själv och händelserna som omger honom i livet och gräva fram humorn i det. Alla har någon åsikt om honom, men han håller sig ändå lugn och fokuserad på det han älskar att göra och vill åstadkomma. Jag tycker att det är enormt inspirerande, för när jag ser hans fokus på håll vill jag bry mig ännu mindre om andras åsikter, vilket i sin tur är väldigt befriande och lugnande! Dessutom är han förbannat smart... så...

F: Hej Russell. Hur lugn skulle du säga att du är i dag jämfört med när du var i tjugo- och trettioårsåldern?
R: Jämfört med den dåren är jag lugn som Jesus. Ironiskt nog, för när jag var i tjugo- och trettioårsåldern trodde jag att jag var Jesus.

F: Du har varit med om extrem berömmelse. Kommer en kaotisk tillvaro på köpet när man skapar sådan enorm uppståndelse?
R: Om man tar det på allvar och låter det forma identiteten och göda självkänslan, som jag gjorde, så gör den det.

F: Hur hanterar du utomståendes åsikter? Påverkar det dig någonsin negativt?

R: Ja, det gör det, vilket jag tycker är naturligt. Vi är sociala djur och vad skulle vi göra utan andra människor? Det viktiga är bara att man har någon näringskälla som inte kontrolleras av andra.

F: Du har tagit pauser från sociala medier men använder det nu för att ha kul, verkar det som (när du sjunger till din hund Bear), och dessutom för att tala om saker som du verkligen brinner för. Uppskattar du det offentliga utbytet?
R: Jag är underhållare, jag älskar att visa upp mig och jag älskar att hjälpa andra människor (när jag inte känner mig självupptagen) så sociala medier kan vara jättebra, så länge de används klokt.

F: Hur behåller du lugnet när alla andra verkar reta upp sig på det du pratar om?
R: Genom att inse att vad andra tycker om mig inte angår mig. Den sortens självständighet är lättare att uppnå när jag känner att jag har kontakt med mitt inre och inte söker bekräftelse utifrån.

F: Varför tror du att andra blir så engagerade i historier som inte har med dem att göra personligen?
R: Skvaller som hjälp att förstå sin ställning i ett socialt system är ett viktigt redskap. Men det är ett redskap som har överanvänts och överdrivits för att hålla människor fokuserade på konsumtion i stället för inre utveckling. Om folk känner sig nöjda köper de färre saker.

F: Till sist då, Russell, vad betyder lugn för dig?
R: Lugn betyder att vara lycklig där jag är, med vem jag är och med den jag är med.

F: TACK för din tid och energi!

PROGRAMMERAD FRÅN FÖDSELN

Vi blir eftertryckligt programmerade från födseln att känna RÄDSLA.

»Var försiktig, lilla du, klättra inte så högt upp i trädet, det är farligt.«

»Drick inte för mycket av det där, då kommer dina tänder att ruttna och trilla ut allihop.«

»Sluta hoppa i sängen, du kan ramla och slå i huvudet.«

Vi varnas redan från första början. Sedan får vi lära oss i skolan att vi måste prestera, annars kommer vi att misslyckas i framtiden. Mer rädsla. När vi som tonåringar kliver över tröskeln till vuxenlivet varnas vi för att bli gravida, för att vara ute ensamma sent på nätterna och för att slösa bort tiden. Som vuxna blir vi sedan skrämda att behandla våra barn med silkesvantar. Vi får höra historier som gör oss livrädda att inte ge barnen näringsrik mat, att låta dem se för mycket på TV eller att de inte ska klara av saker som hör till åldern. Mycket av det handlar om rädsla och panik snarare än hopp och lugn inställning.

Så hur ska vi finna HOPP mitt i denna cyklon av oro? Det kan kännas väldigt svårt ibland eftersom vi har programmerats i så många år att vara på det här sättet. Om man är starkt troende och hängiven en viss religion kan det ofta ge viss respit från anstormningen av panik, för då har man förtröstan till någon eller något betydligt mäktigare än de dödligas värld. Är du inte religiös kan det däremot kännas främmande att tro på någonting annat än det vi läser på nätet och i tidningarna eller får höra av andra. Världen utanför har enorm inverkan på omfattningen av vår rädsla och stress. Vi har undermedvetet fått lära oss att det kanske är naivt och flummigt att vara hoppfull.

Jag föddes som optimist och fortsatte vara det till tjugoårsåldern. Även om jag hade en mamma som var lite orolig av sig, likt så många andra mödrar i världen, lyckades jag hålla fast vid livets soliga sida ett bra tag. Efter några knepigare skeden i livet dämpades optimismen och smulades sönder och jag har inte lyckats helt med att komma tillbaka till det där trippandet på moln sedan dess. Jag kommer säkert dit vad det lider, men det var en del farthinder som fick mig att köra av vägen. Det känns lite sorgligt, för jag brukade känna mig mycket lugnare när »optimism« var mitt mellannamn. Jag kunde ta mig ut ur en svår eller begränsande situation genom att tro att det fanns någonting bättre. Tack vare mina empatiska, hoppfulla visioner fanns för det mesta ett annat alternativ och jag var alltid väldigt redo att söka upp det.

Att vara hoppfull är numera något jag kämpar med dagligen. Att känna hopp ger inte bara glädje, utan är också väldigt lugnande. Om du verkligen tror och litar på livet måste stressen finna sig i att hamna i skymundan och förbluffad se på medan du lugnar varenda cell i kroppen och din hyperaktiva hjärna genom att helt enkelt veta att allt kommer att gå bra. Paniken kvävs när hoppet finns till hands, vilket leder till en mycket lugnare inställning till rädslan och bruset omkring oss. Vi har alla rätt att tänka så här och borde inte känna oss dumma när vi gör det. Vi får höra så mycket om de hemska, katastrofala och grymma saker som händer med vår planet att man skulle kunna tro att inget gott alls fanns i världen. Men tänk på alla mirakel som det inte berättas om på nyheterna! Människor som haft dödliga sjukdomar och blivit botade. Personer som har trott att de var infertila men fått barn. Kärlek som spirat i hopplösa tider. Frid som uppnåtts efter hemska upplevelser. Sådana saker existerar utöver allt det negativa. Kopplingen mellan oss och mirakel som sker är »hopp«. Det är ett litet ord som bygger en bro mellan oss kämpande människor och den totala lyckan. Personligen har jag märkt att om jag fokuserar på mina drömmar, fantasier och önskningar och stärker dem med ett stabilt »hopp«, så känner jag mig lite lugnare i tron att de faktiskt kommer att förverkligas – åtminstone kommer jag att ha kul medan jag tar reda på om de gör det.

ÅNGERKÄNSLOR OCH »FEL« BESLUT

När någon talar om för oss att vi har fattat fel beslut, hur mycket av den informationen bör vi då ta till oss? Det är ett annat svårt hinder att ta sig över när vi tillämpar det allestädes närvarande surret från världen UTANFÖR på våra egna historier. Har du någon gång gått in starkt för något och sedan fått höra att det var fel? Ett dåligt val, ett riskabelt beslut eller ett uselt alternativ? Det har absolut jag gjort! Vi har fått höra sedan vi var små att det finns antingen bra eller dåliga vägar att gå, men hur stor vikt ska vi egentligen lägga vid denna åsikt utifrån? När vi konfronteras med en åsikt som skiljer sig från vår egen kan det kännas näst intill omöjligt att inte få panik över valen vi gör. Lugnet går upp i rök inom loppet av en sekund och vi står där med känslan att vi har gjort ett misstag.

Nyligen tackade jag nej till ett jobberbjudande eftersom jag hade gjort planer för familjen den dagen, vilket då kändes betydligt viktigare för mig att hålla fast vid. Några i min omgivning argumenterade då intensivt för att jag hade fattat »fel« beslut. Jag kände fortfarande att mina prioriteringar var de »rätta« för mig, men jag skulle ljuga om jag sa att jag inte vacklade en sekund. Jag kände mig nervös hela dagen eftersom en del av mig innerst inne kände att jag gjort ett misstag. Jag började tvivla på min intuition. I efterhand vet jag att jag fattade rätt beslut för mig, men det är så svårt att bara ignorera alla röster och råd från folk i omgivningen.

Ibland kan vi se tillbaka och förstå att vi möjligen skulle ha kunnat göra vissa saker annorlunda, och så kallar vi de stunderna för misstag. Misstag är oundvikliga i livet och de uppstår av en anledning. De skapar den bästa möjliga grogrunden för lärdomar och har en tendens att bli avgörande ögonblick i våra liv. De kan bli det som förändrar allt! Ur de ögonblicken kan nya riktningar uppstå, en chans att börja om från början och få ett fräscht perspektiv på allt som har hänt förut.

Det är väldigt svårt att se tillbaka på tider som vi betraktar som dåliga eller fulla av misstag och inte ångra något. Ångerkänslor är verkligen slöseri med tid, och även om jag kan göra långa listor över dem vet jag innerst inne att de är meningslösa och bara tömmer mig på energi. Vi behöver acceptera de val vi har gjort och de vägar vi gått och försöka se det positiva även om resultatet inte blir det vi hade velat. Om du vet med dig att du lyssnade för mycket på surret utifrån och för lite på din inre röst och instinkt, gå tillbaka till det ögonblicket och lär dig något av det i stället för att banna dig själv för att du har fattat »fel« beslut. För det mesta när vi känner att vi har gjort misstag beror det på att vi har fattat beslut baserade på rädsla. Det kan vara rädsla för vad andra ska tycka, rädsla för hur vi ska kunna mäta oss med andra eller rädsla för kritik. Visst, ta hjälp av råd och stöd från andra, men gå alltid efter magkänslan i slutänden. Om magen ger dig ett svar tror jag att du behöver följa det och se vad det kan leda till. Ser vi till att ta vara på de ögonblicken och besluten hindrar det oss från att känna ånger. Om du vet att du har följt din magkänsla vet du innerst inne att du har prickat rätt, oavsett vad en massa andra människor säger! Då har du fattat ett beslut grundat på din instinkt och från en lugn utgångspunkt.

Om saker verkar för diffusa och allas åsikter får dina instinkter att grumlas, låt det sjunka in ett tag. Sov på saken och tänk över det igen nästa dag, eller sit tyst och försök rensa huvudet på tankar om världen utanför och se vad som dyker upp. Svaret brukar finnas någonstans där inne om vi bara ger oss själva utrymme att låta magkänslan ge sig till känna. På så sätt kan vi fatta tydliga, koncisa och definitiva beslut på ett lugnt sätt.

Vi vet att det oavbrutna surret på planeten jorden kommer att fortsätta och förmodligen tillta. Vi vet att varenda sekund på dagen i den här världen innehåller glädje, sorg, ilska, orättvisor, uppenbarelser och varenda annan tänkbar känsla och varje möjligt utfall. Vi kan inte förändra det på något sätt, men vi kan stå på oss i våra åsikter från en fridfull utgångspunkt och se allt brus från en välförankrad plats. Jag antar att vi alla måste försöka sluta jämföra oss med alla andra, sluta vara rädda för vad andra säger om oss, bemöta det med en hoppfull inställning och lyssna till våra egna instinkter så gott det går. Att behålla lugnet i vår moderna tidsålder kommer alltid att framstå som en övermäktig uppgift för de flesta av oss, men om vi ser, tar del av och agerar i denna värld med hjärtat på rätta stället finns det hopp om att vi får uppleva lite lugn längs vägen.

Sammanfattning

LYFT BLICKEN.

Lägg ifrån dig telefonen! Glöm aldrig att uppskatta alla de underbara sakerna omkring dig.

EN NYPA SALT.

Tro inte på allt du ser på sociala medier – det vet vi alla att vi inte ska, men vi behöver bli påminda.

VÄLJ HOPPET.

Låt inte det negativa i världen trycka ner dig. Det positiva leder till lugn och vice versa.

HUR SER LUGNET OCH OMVÄRLDEN UT FÖR DIG?

Skriv ner ett ord eller en rita en bild här som sammanfattar det.

LUGN

MITT LUGN ÄR...

När mina barn äter ordentligt under måltiderna

Att känna mig frisk och energisk

Att tjuvkika på mina barn när de sover

Lyssna på lugn musik en varm sommarkväll

Läsa böcker för mina barn vid läggdags

Min mans leende

Att vara i publiken på en festival. Då handlar allt om att förlora sig själv i musiken och inte om någon omkring mig

Att gå till sängs tidigt

Min pappas kramar

Min mammas goda råd

När mina barn vaknar efter halv sju på morgonen! Sovmorgon!

Min man i sängen bredvid mig (när han inte snarkar)

Att se på en komedi med mina styvbarn

Baka tårta

Yoga. Varje gång. Totalt förnuftsfrämjande lugn

Att jogga längs Themsen

Måla porträtt av människor jag älskar

Tår i sanden

En hyfsad solnedgång

Doften av havet

Titta på stjärnorna

Skriva. Ord, tankar, historier

En god bok i badet

Att komma i tid

Lyssna. På andra. På ljuden omkring mig

Sitta hemma och mysa när det spöregnar ute

När en av våra katter sitter i mitt knä

Rooiboste med honung

Att hänga med min vän Lolly. Att tjattra och skratta med henne

Rita teckningar med svart kulspetspenna

Cykla genom parken med min cykel

Sitta på THE HIVE i Ken Gardens

Doften av rökelse

Komma ihåg att vara hoppfull.

Kära lugn, jag lär mig mer och mer om din kraft varje dag. Förr tyckte jag att du var hemskt tråkig och bara något för eliten och gamlingar. Tänk så fel jag hade. Jag irrade mig så långt bort från din sköna famn och in i så mycket stress och kaos, tänjde ständigt på gränserna för att se hur mycket jag tålde. Nu inser jag att jag kunde ha lyckats med det mesta av det jag uppnått utan all denna anarki och stress. Det var mest slöseri med energi. Ibland hjälpte min glöd och ångest mig framåt lite grann, men jag tror ändå att jag kunde ha använt min envisa sida på ett lugnare sätt och ändå fått de erfarenheter jag fick. Kanske behövde jag gå en bit i motsatt riktning för att verkligen förstå hur mycket jag behöver dig.

Jag har blivit så mycket bättre på att lyssna på ditt blidkande tonfall och dina välgrundade ord. Jag älskar att jag kan fatta glasklara beslut när jag har full kontakt med dig, att jag kan ta mig igenom svåra situationer med lite större självförtroende och förspilla betydligt mindre energi på oväsentligheter. Jag har lärt mig att uppskatta dig när du skiner starkt och vet att jag kan luta mig mot dig och lita på dig fullt ut. Jag har sett så många omkring mig göra likadant och glida igenom situationer med lätthet som jag tidigare kanske skulle ha kämpat med på ett ovärdigt sätt. Jag älskar att du finner mig i oväntade skeden och låter mig slappna av i ett nytt tempo som gör att jag kan återhämta mig och får tid att läka. Med din tröst och din verklighetsförankring vet jag att jag kan lappa ihop gamla sår, finna hjälp hos andra och stanna upp för att bara VARA när jag känner behov av det. Jag har också insett att det är en myt att man inte får mycket gjort med dig i närheten. Du finns absolut inte bara för de bekymmerslösa, upplysta själarna i världen – du finns också för de äventyrliga och envisa och du funkar dessutom riktigt bra med dessa attribut också. Du kan rent av accelerera kraften bakom livets mer fartfyllda sidor, genom att låta omtanke och klarhet styra skeppet. Stress och oro saktar ner massor av aktiviteter i vårt liv när vi kör fast eller blir rädda, medan du däremot låter oss kliva beslutsamt framåt men utan att låta egot eller falskhet skymma sikten. Aldrig igen ska jag betrakta dig som någonting tråkigt. Jag ska leta efter dig på myllrande fester, fullproppade tunnelbanestationer, anarkistiska barnkalas och stressiga resor till skolan och veta att du finns någonstans djupt här inne. Och jag ser verkligen fram emot att lära känna dig ännu lite bättre när jag söker dig nästa gång. På yogamattan, med en god bok, i meditation och genom att lyssna på magkänslan.

Tack, kära lugn, du är riktigt jävla ljuvlig!

ANTECKNINGAR

ANTECKNINGAR

ANTECKNINGAR

ANTECKNINGAR

....

....

....

....

....

....

....

....

....

....

....

....

OM FÖRFATTAREN

Fearne har synts i TV-rutan som programledare sedan hon var femton, då hon upptäcktes av Disney Club på ITV. Hon är lagkapten i Celebrity Juice och har varit med i andra program som BBC Music Awards, Top of the Pops med Reggie Yates, Children in Need Rocks med Chris Evans och i direktsändning vid både kungliga bröllop och prinsessan Dianas konsert med BBC. År 2005 började hon på BBC:s Radio 1 och blev kvar där i tio år, först som en av medverkarna i morgonprogrammen med Reggie Yates, sedan gick hon över till UK Top 40 innan hon tog över de prestigefyllda morgonprogrammen på veckodagarna 2009. Hon hade över 4 miljoner lyssnare och fick priset Sony Gold Award för programmet 2012. På sistone har hon fokuserat mer på sin kreativa sida och designat en kollektion i samarbete med Cath Kidston för barnklädesmärket Mini Club på varuhuset Boots.

Hon har 11 miljoner följare på sociala medier och rankas som en av världens 250 mest inflytelserika twittrare. Fearne bor i London med sin familj.